Johannes Schumann

LEICHTE TESTS

Deutsch als Fremdsprache

Max Hueber Verlag

€ 3.   Die letzten Ziffern
2005   04   03   02   bezeichnen Zahl und Jahr des Druckes.
Alle Drucke dieser Auflage können, da unverändert,
nebeneinander benutzt werden.
1. Auflage
© 2001 Max Hueber Verlag, D-85737 Ismaning
Umschlaggestaltung: Parzhuber & Partner, München
Zeichnungen: Tatiana Žitňanová, Bratislava, Slowakei
Layout: Petra Obermeier, München
Druck und Bindung: Ludwig Auer GmbH, Donauwörth
Printed in Germany
ISBN 3–19–001664–X

VORWORT

Wie oft hat man nicht zwischendurch mal ein paar Minuten Zeit zum Lernen! Im Bus, am Strand, im Café ... Nutzen Sie diese Zeit zum Wiederholen und Entdecken von Neuem. Die „Leichten Tests" helfen Ihnen, Ihren Grundwortschatz zu festigen und zu erweitern – eben auf ganz leichte Art! Die Lösungen am Ende des Buches geben Ihnen die nötige Sicherheit und Kontrolle.

Denken Sie daran, dass es nicht wichtig ist, möglichst viele Tests hintereinander zu lösen. Prägen Sie sich jeweils nur einen Test gut ein – aber möglichst regelmäßig und am besten täglich. Markieren Sie, was Ihnen wichtig ist und was Sie lernen möchten.
Beim Wortschatzerwerb spielt die Häufigkeit der Wiederholung die entscheidende Rolle, damit Neues ins Langzeitgedächtnis übergehen kann.

Das Testbuch ist geeignet für erwachsene Selbstlerner, aber auch für Schüler, die in abwechslungsreicher und spielerischer Form ihre Sprachkenntnisse auffrischen wollen.

Wir wünschen Ihnen viel Spaß!

DIESE ARTEN VON TESTS GIBT ES

Hinweis: Einige Testnummern sind unter mehreren
Rubriken genannt.

TESTS ZU BESTIMMTEN THEMEN

TESTS ZU WORTSCHATZ UND GRAMMATIK

Setzen Sie ein.

TEST 1

> Ab Alter Apotheke aufs Bad Bei besichtigen Boden Bus
> dafür Decke die drüben Eindruck ~~Er~~ Es fließendes
> Führung Gegend Wal

1. **Er** bleibt heute im Bett. Sein Arzt will das so.
2. _____ dem 13. August bin ich im Urlaub.
3. _____ ist unhöflich, nicht zu grüßen.
4. _____ der Explosion entstand nur leichter Schaden.
5. Man kann im Museum viele Kunstwerke _____.
6. Die Wohnung hat 2 Zimmer, Küche und _____.
7. Das größte Säugetier ist der _____.
8. Leg das Buch dort _____ Fensterbrett!
9. Der Schrank geht fast bis an die _____, so hoch ist er.
10. Der _____ war bei dem Unfall überfüllt.
11. Wir haben beide das gleiche _____. Er ist auch 25 Jahre alt.
12. Alkohol? _____ bist du noch zu jung.
13. Alle Hotelzimmer haben _____ Wasser.
14. In dieser _____ wachsen Obst, Gemüse und Getreide.
15. Dort _____ an der Ecke ist die Haltestelle.
16. Er hat die _____ der Partei übernommen.
17. Er machte auf mich einen sehr zufriedenen _____.
18. Er versteht _____ Antwort nicht.
19. Wirf deine Socken nicht immer auf den _____!
20. Ist hier in der Nähe eine _____? Er braucht Medizin.

7

TEST 2 Finden Sie waagerecht oder senkrecht 11 Früchte.

O	U	F	D	R	M	A	N	D	E	L	N	L
W	**E**	**I**	**N**	**T**	**R**	**A**	**U**	**B**	**E**	**N**	B	M
F	M	A	G	K	L	B	P	Z	Ä	G	T	E
E	A	N	J	I	L	I	F	I	P	B	R	L
I	N	A	O	R	T	R	I	T	F	M	K	O
G	G	N	N	S	H	N	R	R	E	B	P	N
E	O	A	N	C	E	E	S	O	L	O	F	E
N	S	S	N	H	J	N	I	N	K	G	L	N
G	M	W	F	E	L	E	C	E	I	S	A	P
B	A	N	A	N	E	N	H	N	W	R	U	E
E	R	D	B	E	E	R	E	N	I	C	M	O
A	P	R	I	K	O	S	E	N	S	U	E	J
O	R	A	N	G	E	N	Ü	S	S	E	N	B

Finden Sie die logische Entsprechung.

Autos Bein Besteck deutsch dunkel fahren Flugzeug
Gemüse Getränk hören klein kochen ~~Land~~ schwer
schwimmen Shampoo sehen trinken Tochter Wasser

1. Geige : Musikinstrument = Italien : _Land_____
2. Tasse : Geschirr = Gabel : _____
3. Pferd : reiten = Fahrrad : _____
4. Adler : fliegen = Wal : _____
5. Vater : Sohn = Mutter : _____
6. Pfeffer : Gewürz = Mineralwasser : _____
7. Auto : Rad = Tisch : _____
8. Hafen : Schiffe = Parkplatz : _____
9. Haut : Seife = Haare : _____
10. Orange : Obst = Gurke : _____
11. Löffel : essen = Glas : _____
12. Brief : leicht = Paket : _____
13. Tag : hell = Nacht : _____
14. Ohr : hören = Auge : _____
15. brennen : Feuer = fließen : _____
16. Elefant : groß = Maus : _____
17. Buch : lesen = Radio : _____
18. schwimmen : Boot = fliegen : _____
19. Fleisch : braten = Kaffee : _____
20. Dänemark : dänisch = Deutschland : _____

AB-AN-AUS-BAU-BER-BRÄU-BRU-COU-DA-DE-DER-DER-EN-
ER-FAHRT-FE-FEIND-FEL-FOLG-GAM-GANG-GAST-GE-~~GEN~~-
GROSS-HEIT-HÖL-IM-KRANK-KUNFT-LE-LUST-ME-~~MOR~~-NE-
NEU-PECH-PORT-REICH-RÜCK-SEN-SI-STADT-STRA-TAL-
TER-TEU-TI-TUM-VA-VER

1. der Abend - der _MOR-GEN_

2. das Dorf - die _____

3. das Glück - das _____

4. der Altbau - der _____

5. der Anfang - das _____

6. der Berg - das _____

7. der Cousin - die _____

8. der Eingang - der _____

9. der Empfänger - der _____

10. der Export - der _____

11. der Freund - der _____

12. der Gast - der _____

13. der Gewinn - der _____

14. der Gott - der _____

15. der Herr - die _____

16. der Himmel - die _____

17. der Misserfolg - der _____

18. die Abfahrt - die _____

19. die Armut - der _____

20. die Belohnung - die _____

21. die Braut - der _____

22. die Gesundheit - die _____

23. die Großmutter - der _____

24. die Hinfahrt - die _____

25. die Schwester - der _____

Welches Wort passt nicht in die Reihe?

1. Tiger ~~Adler~~ Elefant Bär
2. Abschleppseil Benzinkanister Reserverad Führerschein
3. Adresse Axt Bandmaß Bohrmaschine
4. ängstlich fröhlich böse depressiv
5. Äpfel Bohnen Broccoli Erbsen
6. aggressiv eifersüchtig neidisch glücklich
7. Akkordeon Absender Banjo Cello
8. Albanien Belgien Benelux Bulgarien
9. Straßenbahn Zug U-Bahn Flugzeug
10. Ananas Ast Aprikosen Birnen
11. Antenne Dach Schornstein Möbel
12. antworten drücken ziehen halten
13. Anzug Milch Bluse Büstenhalter
14. Apfelsaft Bier Bedienung Kaffee
15. Artischocken Auberginen Apfelsinen Blumenkohl
16. Augenbraue Haar Bart Brust
17. August Wetter Oktober November
18. Bad Küche Hausnummer Schlafzimmer
19. Badminton Baum Billard Boxen
20. Balkon Spülmaschine Stereoanlage Waschmaschine

¹G	A	²B		³		⁴		⁵		⁶	⁷		⁸	
⁹					¹⁰				¹¹		¹²			
¹³							¹⁴						¹⁵	
						¹⁶								
¹⁷												¹⁹		
				²⁰										
²¹				²²						²³				
								²⁴						
²⁵		²⁶				²⁷								
				²⁸										
²⁹	³⁰		³¹						³²				³³	
³⁴					³⁵					³⁶				

WAAGERECHT

1 Er g** mir sein Wort und ich glaubte ihm.

3 Singular von „die Blätter": das B****.

6 Ich arbeite, um Geld zu verdienen. Ich arbeite, d**** ich Geld verdiene.

9 Bitte noch einen Löffel S**** auf den Kuchen!

10 Ein anderes Wort für das ‚Gegenteil' ist der G********.

13 Wo ist der Schlüssel? Hast du ihn in deine Tasche g*******?

14 Ein bekannter Schriftsteller heißt T***** Mann.

17 Wie lange muss man die E*** kochen? – Nur 5 Minuten!

18 Der F***** des Taxis war betrunken.

19 Ich wohne noch b** meinen Eltern.

21 Wo ist das Portmonee? – Gestern l** es noch auf dem Tisch!

22 Die l***** Straßenbahn ist weg. Wir nehmen ein Taxi.

23 Ein guter Gedanke ist eine gute I***.

25 Ein Wort für ‚Landschaft' oder ‚Umgebung' ist ‚G*****'.

27 Nach dem Regen war seine ganze K******* nass

29 Den Mantel musst du im Theater an der G******** abgeben.

32 Ein anderes Wort für ‚Sofa' ist ‚C****'.

34 Jedes Rennen beginnt beim S**** und endet am Ziel.

35 Zu den Lebewesen zählen Menschen, T**** und Pflanzen.

36 g**, besser, am besten ...

SENKRECHT

1   Hast du den Gasherd aufgedreht? Es riecht nach G**.

2   Als der Zug abfuhr, stand er auf dem B******** und winkte.

3   Er ist höflich. Er b***** Damen immer seinen Platz an.

4   Der A********* wurde freigesprochen. Er war unschuldig.

5   Die Wochen hat sieben T***.

7   A** er sie küsste, gab sie ihm eine Ohrfeige.

8   Mach das Fenster zu. Mir i** kalt.

11 Ich komme immer näher. Ich n****** mich dem Ziel.

12 Das Gegenteil von ‚reich' ist ‚a**'.

15 Wasch deine Hände bitte mit S****!

16 Ich g********* dir zu deinem Geburtstag!

17 Ich habe keine Zeit. Ich habe es e****.

19 Den Sinn dieses Wortes verstehe ich nicht. Kannst du mir die
    B******** erklären?

20 Der B***** konnte wie durch ein Wunder wieder sehen.

24 Am Sonntagmorgen gehen viele in die K*****.

26 Ich bin absolut pleite. Ich habe g** kein Geld mehr!

28 G*** und Teufel, Himmel und Hölle.

30 Ein ‚A**' ist ein anderes Wort für ‚Behörde'.

31 Ich danke d**, mein Freund!

33 Sie h** wegen dem Krach die ganze Nacht nicht geschlafen.

TEST 7 Setzen Sie das richtige Fragewort ein.

> Wann Warum Was Was Welchen Wer Wem Wen Wessen
> Wie Wie Wie Wie viel Wo Woher Wohin Womit Wofür
> Woran Worauf

1. _____ ist das? - Das ist mein Chef.
2. _____ rufst du an? - Meine Eltern.
3. _____ leihst du das Buch? - Meinem Freund.
4. _____ Portmonee ist das? - Das ist meins.
5. _____ wohnen Sie? - In Paris.
6. _____ fahren Sie? - Nach Madrid.
7. _____ kommen Sie? - Aus der Schweiz.
8. _____ kostet das? - Nur ein paar Euro.
9. _____ viele Kinder haben Sie? - Nur ein Mädchen.
10. _____ für Musik lieben Sie? - Nur moderne Musik.
11. _____ Schauspieler mögen Sie? - Charlie Chaplin.
12. _____ oft haben Sie Unterricht? - Zwei Mal pro Woche.
13. _____ lange leben Sie schon im Ausland? - Seit zwei Jahren.
14. _____ haben Sie geheiratet? - Vor 10 Jahren.
15. _____ gehst du nicht zur Schule? - Weil ich krank bin.
16. _____ denkst du? - An meine Arbeit.
17. _____ fährst du zum Bahnhof? - Mit einem Taxi.
18. _____ brauchst du den Computer? - Für meine E-mail.
19. _____ warten Sie? - Auf den Bus.
20. _____ machen Sie am Wochenende? - Einen Ausflug.

Wie heißt das Gegenteil?

1. fleißig -   _faul_
2. groß -   _____
3. dick -   _____
4. langsam -   _____
5. hübsch -   _____
6. nah -   _____
7. dunkel -   _____
8. teuer -   _____
9. intelligent -   _____
10. weiß -   _____
11. weich -   _____
12. viel -   _____
13. lebendig -   _____
14. spannend -   _____
15. niedrig -   _____
16. nördlich -   _____
17. kurz -   _____
18. krank -   _____
19. ledig -   _____
20. rechts -   _____

Finden Sie waagerecht oder senkrecht 33 europäische Länder.

O	Ö	S	T	E	R	R	E	I	C	H	M	F	P	F	S	P	M
V	Z	**S**	**C**	**H**	**W**	**E**	**D**	**E**	**N**	N	Q	I	P	R	P	O	G
S	K	R	O	A	T	I	E	N	Z	O	N	N	O	A	A	L	S
L	S	C	H	W	E	I	Z	T	Y	R	I	N	R	N	N	E	L
O	T	Ü	R	K	E	I	H	S	P	W	E	L	T	K	I	N	U
W	B	O	S	N	I	E	N	C	E	E	D	A	U	R	E	G	X
A	L	B	A	N	I	E	N	H	R	G	E	N	G	E	N	R	E
K	B	R	U	M	Ä	N	I	E	N	E	R	D	A	I	S	I	M
E	I	R	L	A	N	D	Z	C	X	N	L	D	L	C	D	E	B
I	T	A	L	I	E	N	U	H	R	I	A	Z	P	H	Ä	C	U
R	G	R	O	S	S	B	R	I	T	A	N	N	I	E	N	H	R
U	I	S	L	A	N	D	T	E	C	Y	D	Z	Z	Y	E	E	G
S	B	E	L	G	I	E	N	N	O	K	E	L	R	L	M	N	F
S	A	L	I	E	C	H	T	E	N	S	T	E	I	N	A	L	O
L	G	F	J	U	G	O	S	L	A	W	I	E	N	L	R	A	V
A	R	B	S	L	O	W	E	N	I	E	N	V	V	P	K	N	K
N	S	J	T	B	U	L	G	A	R	I	E	N	N	I	X	D	R
D	D	E	U	T	S	C	H	L	A	N	D	U	N	G	A	R	N

Schwache Verben- Bilden Sie das Perfekt.

Du musst die Schuhe putzen!
- Die habe ich schon geputzt!

Du musst ...
1. das Auto reparieren. - Das habe ich schon _____.
2. den Vertrag kopieren. - Den habe ich schon _____.
3. die Schulaufgaben machen. - Die habe ich schon _____.
4. die Vokabeln lernen. - Die habe ich schon _____.
5. den Koffer packen. - Den habe ich schon _____.
6. den Hund füttern. - Den habe ich schon _____.
7. das Mittagessen kochen. - Das habe ich schon _____.
8. den Flug buchen. - Den habe ich schon _____.
9. das Hemd bügeln. - Das habe ich schon _____.
10. den Tisch decken. - Den habe ich schon _____.
11. die Kartoffeln schälen. - Die habe ich schon _____.
12. das Zimmer tapezieren. - Das habe ich schon _____.
13. die Rechnung bezahlen. - Die habe ich schon _____.
14. die Oma besuchen. - Die habe ich schon _____.
15. das Taxi bestellen. - Das habe ich schon _____.
16. die Frage beantworten. - Die habe ich schon _____.
17. das Geschirr abtrocknen. - Das habe ich schon _____.
18. das Zimmer aufräumen. - Das habe ich schon _____.
19. die Kinder wecken. - Die habe ich schon _____.
20. die Getränke einkaufen. - Die habe ich schon _____.

A. Ich habe den Schlüssel auf den Tisch ...

   1. gelegen. **2.** <u>gelegt.</u> **3.** gelogen. **4.** gesetzt.

B. Um Spaghetti zu kochen, braucht man ...

   1. eine Pfanne. **2.** einen Becher. **3.** einen Topf. **4.** eine Schüssel.

C. Ein falsch parkendes Auto wird ...

   1. weggezogen. **2.** fortgeführt. **3.** abgeschleppt. **4.** angeschoben.

D. Man kann einen Fernseher nicht ...

   1. ausschalten. **2.** anmachen. **3.** einschalten. **4.** zudrehen.

E. Schokolade schmeckt süß, aber eine Zitrone schmeckt ...

   1. bitter. **2.** salzig. **3.** scharf. **4.** sauer.

F. Auf der Bank kann man kein Geld ...

   1. überweisen. **2.** einzahlen. **3.** abheben. **4.** schicken.

G. Sein Geburtstag war ... einer Woche.

   1. vor **2.** seit **3.** bevor **4.** in

H. Jemand mit einem deutschen Pass ist ein ...

   1. Deutscher. **2.** Deutsche. **3.** Deutschen. **4.** Deutsch.

I. Welches ist kein Milchprodukt?

   1. Quark **2.** Käse **3.** Margarine **4.** Sahne

J. Ich bin sehr ... Politik interessiert.

   1. an **2.** in **3.** für **4.** mit

K. Was ist falsch? *Er war ..., die Treppe hochzugehen.

   1. außerstande **2.** unfähig **3.** nicht in der Lage **4.** nicht möglich

1. Eheringe kaufen
2. Brille anfertigen lassen
3. Torten und Kuchen kaufen
4. Fleisch und Wurst kaufen
5. Medikamente kaufen
6. Gemüse kaufen
7. Lebensmittel einkaufen
8. Urlaubsreise buchen
9. Uhr reparieren lassen
10. Zigarren kaufen
11. Anzug schneidern lassen
12. Schuhe kaufen
13. Brot und Brötchen kaufen
14. Illustrierte kaufen
15. Seife und Parfüm kaufen
16. Blumen kaufen
17. Haare schneiden lassen

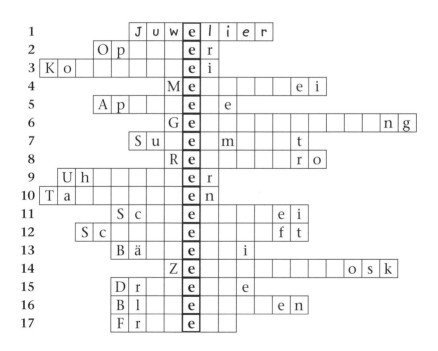

TEST 13 Setzen Sie ein.

> Kennst   Kontrollen   Küche   Licht   Mal   Meine   mit
> Möchten   Not   Ordnung   Plätze   Raum   Rolle   schlief
> Seid   ~~Sind~~   Sparguthaben   Stockwerke   Tanz   Toiletten

1. _Sind_ Sie im Urlaub aber braun geworden!
2. _____ mal mit mir! Ich tanze so gern!
3. _____ nett zueinander!
4. _____ Freundin hat ein Baby bekommen.
5. _____ du ihn noch aus der Schulzeit?
6. _____ Sie einen Salat dazu?
7. Wann haben Sie ihn zum letzten _____ gesehen?
8. Das Gebäude hat zwanzig _____.
9. Das Hotel ist berühmt für seine gute _____.
10. Geld spielt in diesem Fall keine _____.
11. Die Konferenz findet in _____ 19 statt.
12. An den Grenzen gibt es kaum noch _____.
13. In den mittleren Reihen sind noch _____ frei.
14. In der dritten Welt gibt es viel _____ und Elend.
15. In ihrer Wohnung brennt _____, sie ist also wieder da.
16. So ein Chaos! Man kann ihn nicht an _____ gewöhnen.
17. Wo sind die _____? Ich muss mal ...!!
18. Er _____ sofort ein, weil er müde war.
19. Er hat sich _____ seinem Freund verabredet.
20. Auf mein _____ bekomme ich 4% Zinsen.

Umlaute (Ä, Ö, Ü) = 1 Buchstabe

¹A	L	²A	R	³M		4	5	6	7		8			9
						10								
	11						12	13	14					
15														
	16					17	18							
19	20				21									
22			23						24		25	26		
27							28			29				
30	31		32					33						
		34					35							
36					37									
					38			39	40					
41		42	43	44		45								
			46	47										
48			49				50							

WAAGERECHT

1 Mein neues Auto hat eine *****anlage gegen Einbruch.

4 Mein Traum ist ein kleines Segel**** in der Karibik.

8 **** Sie berufstätig?

10 Ist **** Frau auch berufstätig, Herr Meier?

11 Kann ich noch eine ***** fürs Bett bekommen? Mir ist kalt.

12 Mitten in der Nacht klingelte das *******.

15 Die *** beginnt mit der Hochzeit und endet manchmal mit der Scheidung.

16 Die russischen Soldaten nannte man die **** Armee.

17 Hygieneartikel kriegen Sie in der ******** an der Ecke.

19 Ich fahre lieber in die Berge als an die ***.

22 Ich habe *** neues Auto gekauft.

23 Meine Kinder haben oft ****** miteinander.

24 Wo ist der Rückwärts**** bei diesem Auto?

27 Ich wohne ** der Gartenstraße.

29 Mein Huhn legt jeden Morgen ein ** – und sonntags zwei!

30 **** Schuhband ist offen – Pass auf!

32 Ich ****** mich langsam meinem Ziel.

33 Ich *** von ihnen nicht gesehen worden.

35 Mein Mantel ist zu ***. Ich werde ihn weiter machen lassen.

36 ******** in den Zoo: pro Person 5 Euro.

37 Auf diesem trockenen Boden wächst nur ****.

39 Meinen Sohn? *** kann man nicht an Ordnung gewöhnen.

41 Nach dem ******* kommt der Montag.

45 Der Präsident ***** eine Rede im Parlament.

46 Ich **** Fritz am Samstag zum Abendessen ein.

48 Sie sind nicht dran! **** komme ich an die Reihe.

49 Er **** nach 20 Jahren seinen Schulfreund wieder.

50 Menschen, ***** und Pflanzen soll man schützen.

SENKRECHT

1 Niemand blieb lange. **** gingen früh nach Haus.

2 Es gibt nur den einen und keinen ******* Weg.

3 ******** du einen Apfel?

4 Stell das **** in den Kühlschrank! Ich trinke es gern kalt.

5 **, ist Ihr Kleid aber schön!

6 Der *** heißt Flensburg und liegt ganz im Norden Deutschlands.

7 Ich mache dir einen heißen *** mit Zitrone.

8 Herr Müller, *** sind schon wieder zu spät gekommen!

9 Guten Appetit! – *****, gleichfalls.

13 Ich nehme den Hut ab und **** ihn auf die Hutablage.

14 In unserer ***** sind fast nur Männer beschäftigt.

18 Kannst du auf einem Kamel ******?

19 Ihr **** zu laut! Könnt ihr nicht mal leise sein?

20 Sie gab ihm **** Ohrfeige.

21 Er ****** vielleicht dieses Jahr den Nobelpreis.

25 Möchten Sie noch eine Tasse Kaffee? – **** danke!

26 Er **** zu spät weg und kriegte den Zug nicht mehr.

28 Die ******** ist dafür, die Minderheit dagegen.

31 Darf ich ***** etwas zu trinken anbieten?

33 Ich ******* nicht viele Aktien.

34 Sie sollten bei Fieber sofort zum **** gehen.

36 Jeder Autofahrer muss bei Unfällen ***** Hilfe leisten.

38 Herr Müller Sie möchten bitte sofort zum **** kommen.

40 Gibt es hier in der **** ein gemütliches Lokal?

42 Die *** der Bevölkerung ist im Katastrophengebiet sehr groß.

43 Wenn ich *** bin, kriege ich mal eine gute Rente.

44 Die Kartoffeln sind nach 30 Minuten ***.

47 ** hätten Sie sich vorher informieren sollen.

Finden Sie die logische Entsprechung.

1. Spanien : spanisch = Frankreich : _französisch_____
2. Luther : protestantisch = Papst : _____
3. Abend : Tageszeit = Herbst : _____
4. Altersheim : Senioren = Jugendheim : _____
5. Zahnbürste : putzen = Kamm : _____
6. Rasierapparat : Bart = Creme : _____
7. Gorilla : Dschungel = Kamel : _____
8. vorn : Brust = hinten : _____
9. Autor : schreiben = Komponist : _____
10. Neffe : Nichte = Onkel : _____
11. Wasser : flüssig = Eis : _____
12. Taube : Vogel = Hai : _____
13. Mädchen : Gesicht = Blume : _____
14. Baum : Holz = Teller : _____
15. Helsinki : Finnland = Dublin : _____
16. Prag : Tschechien = Bratislava : _____
17. oval : Form = lila : _____
18. Bushaltestelle : Bus = Bahnhof : _____
19. Fuß : Zehe = Hand : _____
20. dünn : dick = fleißig : _____

Welches Wort passt in die logische Reihe?

1. Frühling, Sommer, __Herbst_____, Winter

2. Mai, Juni, _____, August

3. eins, drei, fünf, _____

4. _____, Freitag, Samstag, Sonntag

5. Sonne, Mond und _____

6. Januar, _____, März, April

7. zwei, _____, sechs, acht

8. rechts, links, vorwärts, _____

9. Montag, Dienstag, _____, Donnerstag

10. erstens, zweitens, _____, viertens

11. _____, gestern, heute, morgen, übermorgen

12. immer, oft, selten, _____

13. Norden, _____, Osten, Westen

14. Vergangenheit, Gegenwart, _____

15. vorn, _____, oben, unten

16. Europa, Afrika, Asien, Amerika, _____

25

Setzen Sie die fehlenden Vokale „e" und „i" ein, um den Witz zu verstehen.

J__mand hat   __n__n   __mb__ssstand   d__r__kt
g__g__nüb__r   ____n__r Bank. Da kommt   ____n alt__r
Fr__und und sagt:

„Du, kannst du m__r mal __twas G__ld l____h__n?" –

„Tut m__r l____d, m____n Fr__und, das kann __ch
n__cht!"   –

„Und warum n__cht?" –

„W____l __ch ____n__n V__rtrag m__t d__r Bank
hab__!" –

„Und was __st das für ____n V__rtrag?" –

„__ch v__rl____h__ k__n G__ld und d____ v__rkauf__n
k____n__ Würstch__n!"

26

Finden Sie waagerecht oder senkrecht 11 Farben.

I	U	S	Q	G	R	A	U	S
R	Q	C	J	Q	**O**	B	N	R
W	N	H	B	W	**R**	L	N	O
E	F	W	R	L	**A**	A	C	S
I	E	A	A	L	**N**	U	X	A
S	P	R	U	N	**G**	E	L	B
S	P	Z	N	J	**E**	E	I	Y
G	U	G	R	Ü	N	V	L	D
O	O	X	T	R	O	T	A	L

TEST 19 Starke Verben. Bilden Sie das Perfekt.

Du musst die Schularbeiten <u>beginnen</u>! –
Die habe ich schon <u>begonnen</u>!

Du musst ...

1. die Hände waschen. - Die habe ich schon _____.

2. die Tabletten nehmen. - Die habe ich schon _____.

3. den Brief schreiben. - Den habe ich schon _____.

4. die Nägel schneiden. - Die habe ich schon _____.

5. den Kellner rufen. - Den habe ich schon _____.

6. das Fleisch braten. - Das habe ich schon _____.

7. die Blumen gießen. - Die habe ich schon _____.

8. den Roman lesen. - Den habe ich schon _____.

9. das Lied singen. - Das habe ich schon _____.

10. das Spiel gewinnen. - Das habe ich schon _____.

11. den Zaun streichen. - Den habe ich schon _____.

12. das Richtige tun. - Das habe ich schon _____.

13. die Konsequenzen ziehen. - Die habe ich schon _____.

14. die Prüfung bestehen. - Die habe ich schon _____.

15. die Schuhe abtreten. - Die habe ich schon _____.

16. die Suppe aufessen. - Die habe ich schon _____.

17. das Glas austrinken. - Das habe ich schon _____.

18. den Film sehen. - Den habe ich schon _____.

19. die Tür abschließen. - Die habe ich schon _____.

20. das Buch zurückgeben. - Das habe ich schon _____.

NACHDEMIHNSEINEFRAUVERLASSENHATTEWEILERBEHAUPTE
TEALLESIMHAUSHALTBESSERZUKÖNNENMUSSTEETNiIIINGERM
ANNAUSEINERFRANZÖSISCHENKLEINSTADTSEINENHAUSHAL
TSELBSTFÜHRENERLERNTEBÜGELNKOCHENPUTZENUNDWASCH
ENEINESTAGESWOLLTEEREINENBESONDERSPROBLEMATISCH
ENFLECKAUSSEINERWÄSCHEENTFERNENERHATTEVONSEINER
MUTTERGELERNTDASSBENZINBESONDEREREINIGUNGSKRAFT
HATDESHALBSCHÜTTETEERBENZINSTATTWASCHPULVERINDI
EWASCHMASCHINEUNDGINGEINKAUFENALSERZURÜCKKAMFAN
DERSEINEWOHNUNGNICHTMEHREINFUNKEINDERMASCHINEHA
TTEEINEEXPLOSIONVERURSACHTDIEDIEGANZEWOHNUNGINB
RANDGESTECKTHATTEDERFLECKWARAUCHBESEITIGT

Tiere auf dem Bauernhof:

Setzen Sie die Tiere richtig ein.

Ente Esel Gans Hahn Huhn
Hund ~~Kalb~~ Kaninchen Katze
Lamm Maus Pfau Pferd Pony
Ratte Schaf Schwein Taube
Truthahn Ziege

Setzen Sie ein.

TEST 22

ab äußerte ~~Am~~ Arbeit Augen Bahn Bein Parkplatz
Produkte Reihe Sah Schreibtisch Seiten Sobald Start
Stück Telefon tut uns Wie

1. **Am** Dienstag gehen die Ferien zu Ende.
2. _____ ernähre ich mich richtig?
3. _____ ich Genaueres weiß, gebe ich Ihnen Bescheid.
4. Nach einer langen _____ von Misserfolgen gab er auf.
5. Das ist egal, das _____ nichts zur Sache.
6. Jeder _____ seine Meinung ganz frei.
7. Mehr Informationen auf den folgenden _____.
8. Der Bauer hat noch ein _____ Land gekauft.
9. Der Einbrecher _____ den Hund und lief weg.
10. Der Läufer geht für Deutschland an den _____.
11. Die Briefe liegen auf Ihrem _____.
12. Bieg bitte die nächste Straße nach links ____!
13. Sind Sie mit der _____ oder mit dem Wagen gefahren?
14. Wir müssen _____ beeilen!
15. Mein _____ tut weh, ich kann nicht laufen!
16. Ich konnte für mein Auto keinen _____ finden.
17. Unsere _____ haben eine hohe Qualität.
18. Er fährt jeden Morgen mit dem Rad zur _____.
19. Er macht meiner Frau schöne _____, dieser Kerl!
20. Kurz vor 8 Uhr klingelte das _____.

31

¹F	A	²M	I	³L	I	⁴E		⁵		⁶		⁷		
⁸														¹⁰
¹¹							¹²							
					¹³									
¹⁴			¹⁵						¹⁶					
		¹⁷												
¹⁸		¹⁹					²⁰							
						²¹								
²²	²³			²⁴						²⁵				
			²⁶											
²⁷						²⁸								
²⁹				³⁰										

WAAGERECHT

1 Wir haben 6 Kinder. Wir sind eine große *******.

6 In meinem kleinen Zimmer müssen die ***** auf der Couch
   schlafen.

8 Es fahren immer mehr ***** auf den Autobahnen.

9 Im Radio kam die *********, dass der Präsident ermordet wurde.

11 Das habe ich gekauft. Das ist jetzt mein ********.

12 Hast du eine ******, um Papier zu schneiden?

14 Das Gegenteil von ‚Tal' ist ****.

15 ****** du jeden Tag ein paar neue Vokabeln?

16 Zum Glück *** Manfred wieder gesund.

18 Pass auf! *** vorsichtig!

19 Vorsicht! ****** Sie nicht in den Hundehaufen!

20 Trinken Sie Tee **** Kaffee?

22 Istanbul und Ankara liegen in der ******.

24 Er hat ein paar Jahre im Gefängnis ********

27 Früher schickte man ein ********* – heute ein Fax.

28 Ein ***** ist aus der Telefonzelle billiger als vom Hotel.

29 Ich bin nicht groß, sondern *****.

30 Es ******* in Strömen. Wir wurden nass bis auf die Haut.

SENKRECHT

1 Das Gegenteil von ‚Antwort' ist ‚*****'.

2 Ein anderes Wort für ‚Fleischerei' ist ‚********'.

3 Wir haben für unser Problem eine ****** gefunden.

4 Der Chef erlaubte uns, eine kleine Pause *********.

5 Der Strumpf ist kaputt. Er hat ein großes ****.

6 Die Richter des Verfassungs******** tragen rote Kleidung.

7 Das gehört nicht zum Thema. Das tut nichts zur *****.

10 Im National******* spielt man den Faust von Goethe.

13 Im Winter ist es auf Mallorca ********** als in Deutschland.

14 Sie ist arm. Sie ******* kein Geld.

16 Die Automobil********* hatte ein gutes Jahr.

17 Wir geben uns große Mühe. Wir ******** uns sehr an.

21 Es ****** dem Gefangenen zu fliehen. Die Flucht glückte ihm.

23 Das ist unwichtig. Das spielt keine *****.

25 Ich habe einen Onkel. Ich bin also sein *****.

26 Der Singular von ‚Fächer' ist ‚****'.

Welches Wort passt nicht in die Reihe?

1. Dollar Rubel Euro ~~Pfennig~~
2. Delphin Hai Hering Thunfisch
3. Kuli Tinte Bleistift Filzstift
4. deutsch bayrisch italienisch polnisch
5. Saarland Thüringen Sachsen Brandenburg
6. Kohl Herzog Brandt Schröder
7. ADAC CDU SPD FDP
8. Asien Europa Afrika Atlantik
9. Schokolade Bonbon Praline Pizza
10. Realschule Gymnasium Kindergarten Hauptschule
11. Himalaya Alpen Schwarzwald Harz
12. Rhein Nil Weser Elbe
13. Berlin Zürich Hamburg München
14. Getreide Hafer Weizen Gerste
15. Läufer Bauer König Würfel
16. Pistole Gewehr Kanone Messer
17. Kreis Rechteck Quadrat Dreieck
18. Grammatik Germanistik Romanistik Slavistik
19. Schach Mühle Dame Spiel
20. Zigarette Zigarre Pfeife Feuerzeug

Wie heißt das Gegenteil (Antonym)?

1. die Hitze - die [ätelK]   die Kälte
2. die Hochzeit - die [dnceghSiu]   _____
3. der Hunger - der [usDrt]   _____
4. die Jugend - das [elArt]   _____
5. der Kauf - der [keuVfra]   _____
6. der Krieg - der [reedniF]   _____
7. der Lärm - die [euRh]   _____
8. das Leben - der [odT]   _____
9. die Liebe - der [aHss]   _____
10. die Lüge - die [tearhWhi]   _____
11. der Mann - die [uraF]   _____
12. der Mieter - der [meeerVrti]   _____
13. die Minderheit - die [eertihMh] _____
14. der Neffe - die [ihecNt]   _____
15. der Norden - der [eüSdn]   _____
16. der Nutzen - der [ceandhS]   _____
17. der Onkel - die [atnTe]   _____
18. die Rechtskurve - die [keikrnLsuv] _____
19. die Regel - die [huneAsma]   _____
20. der Schwager - die [rncwgäieSh] _____
21. die Sicherheit - die [raehfG]   _____
22. der Sohn - die [heotrTc]   _____
23. der Sommer - der [rtiWen]   _____
24. der Tag - die [hatcN]   _____
25. der Westen - der [seOnt]   _____

Finden Sie waagerecht oder senkrecht 27 Dinge,
die man essen kann.

C	X	O	Z	U	C	K	E	R	T	O	R	T	E	I
S	T	M	Q	N	U	D	E	L	N	S	S	B	X	U
Q	A	V	S	W	U	R	S	T	Y	P	C	R	R	X
S	**C**	**H**	**L**	**A**	**G**	**S**	**A**	**H**	**N**	**E**	H	A	E	R
S	U	P	P	E	O	N	M	P	G	C	O	T	I	Y
G	E	S	S	I	G	A	U	A	E	K	K	E	S	F
E	U	K	C	K	G	C	S	S	F	S	O	N	E	P
M	H	U	E	T	S	H	C	T	L	P	L	O	N	N
Ü	Z	C	M	J	C	T	H	E	Ü	U	A	S	F	I
S	G	H	E	W	S	I	E	T	G	D	D	A	Y	Y
E	U	E	O	R	T	S	L	E	E	D	E	U	S	R
R	B	N	V	C	B	C	N	N	L	I	Ö	C	E	X
F	I	S	C	H	C	H	E	I	S	N	L	E	M	U
S	C	H	I	N	K	E	N	X	D	G	S	A	L	Z
M	A	D	X	P	F	E	F	F	E	R	K	Ä	S	E

Finden Sie die logische Entsprechung.

1. Baum : Pflanze = Fisch : _Tier_____
2. Gewehr : schießen = Angel : _____
3. Wand : Tapete = Tisch : _____
4. Schrank : Holz = Fensterscheibe : _____
5. Frost : kalt = Hitze : _____
6. Baum : Rinde = Ei : _____
7. Fische : Aquarium = Kühe : _____
8. Christentum : Bibel = Islam : _____
9. viel : nichts = Haare : _____
10. Felsen : Stein = Wasser : _____
11. Pinguin : Südpol = Eisbär : _____
12. Ritter : Burg = König : _____
13. Vogel : Schnabel = Mensch : _____
14. Südafrika : Diamanten = Saudi-Arabien : _____
15. Ski : Schnee = Schlittschuhe : _____
16. Brief : Post = Geld : _____
17. drei : sechs = zwölf : _____
18. Hose : Hosenbein = Hemd : _____
19. Pferd : Gras = Löwe : _____
20. Maus : Mauseloch = Vogel : _____

TEST 28 Setzen Sie ein.

> Baum ja Kann klingelt Kurs Lärm lege ~~Leid~~
> Mineralwasser Museen nein Pferden Radio Restaurant
> Scheck See sie sonst Stimmt Tagen

1. Oh, das tut mir aber _Leid_! Ich wollte dir nicht weh tun.

2. _____ ich bitte Ihren Pass sehen?

3. _____ das denn? - Ja, das ist wirklich so.

4. Zahlen Sie bar oder mit _____?

5. Das _____ ist bekannt für seine feine Küche.

6. Ich _____ mich jetzt 2 Stunden aufs Ohr!

7. Schon nach zwei _____ war er von der Reise zurück.

8. Die Kutsche wurde von sechs _____ gezogen.

9. Der _____ für den Dollar ist weiter gestiegen.

10. Wer _____ an der Tür? Der Briefträger?

11. Heute ist das Fernsehen wichtiger als das _____.

12. Die Kinder sind auf den _____ geklettert.

13. Die Motoren machten einen furchtbaren _____.

14. Bitte, zwei Cola und ein _____.

15. In den _____ kann man alte Gemälde bewundern.

16. In diesem _____ darf man nicht baden.

17. Möchten Sie noch etwas Kaffee? - _____, danke!

18. Hör auf zu streiten, _____ kommt mein großer Bruder!

19. Vor dem Traualtar musst du nur ____ sagen, keine Angst!

20. Er mag _____ nicht, aber sie liebt ihn so sehr.

Was passt zusammen?

Finden Sie Wörter mit ähnlicher Bedeutung:

Beispiel: der **Opa** > der **Großvater**

1. das Bauwerk	a) der Besitzer
2. der Gast	b) der Besucher
3. der Betrieb	c) das Brötchen
4. der Eigentümer	d) die Diskussion
5. die Debatte	e) das Dokument
6. die Urkunde	f) das Ergebnis
7. die Erzählung	g) das Essen
8. der Fleischer	h) die Firma
9. die Mahlzeit	i) das Gebäude
10. das Geschäft	j) die Geschichte
11. der Grund	k) der Gewinner
12. der Sieger	l) der Käufer
13. das Darlehen	m) der Kellner
14. die Semmel	n) der Kredit
15. der Ober	o) der Laden
16. der Witz	p) der Lastwagen
17. der Raum	q) der Metzger
18. das Resultat	r) der Scherz
19. der Lkw	s) die Ursache
20. der Kunde	t) das Zimmer

Was passt links und rechts zusammen?

1.	Wand	Tennisball
2.	Hand	Schale
3.	Schläger	Tapete
4.	Lampe	Birne
5.	Banane	Finger

a.	Anzug	Tor
b.	Computer	Maus
c.	Fußball	Seite
d.	Buch	Zucker
e.	Kaffee	Krawatte

I.	Berlin	Korken
II.	Wetter	Wasser
III.	Abend	Schnee
IV.	Durst	Dunkelheit
V.	Flasche	Stadt

A.	Baum	Scheibe
B.	Fernsehen	Regel
C.	Brot	Ast
D.	Bein	Programm
E.	Grammatik	Fuß

ab Am arbeiten Augenblick Bahnhof Bekannten Birne
Briefe Chancen darauf Der dir Eis erklärt Explosion Tod
um Vogel Was Zu

1. _Zu_ Beginn gab es noch Probleme.

2. _____ Salat fehlt noch etwas Essig.

3. _____ Kuli schreibt nicht.

4. _____ gibt es denn heute im Kino?

5. Das _____ auf dem See ist gefährlich. Geh nicht darauf!

6. Ein Adler ist ein großer _____.

7. Das verschlechtert meine _____ zu gewinnen.

8. Hast du _____ die Zähne geputzt?

9. Bei der _____ gab es Tote und Verwundete.

10. Der Arzt konnte nur noch den _____ feststellen.

11. Der Arzt tastet seinen Bauch _____.

12. Ihr seht die Männer auf der Straße _____.

13. Die _____ in der Lampe ist kaputt. Kauf eine neue.

14. Die _____ liegen auf Ihrem Schreibtisch.

15. Warten Sie einen _____, bitte! Ich komme sofort.

16. Wann kommt der Zug an? Ich hole dich vom _____ ab!

17. Dort ist der Sohn meines _____.

18. Er _____ das Wort, das wir nicht verstehen.

19. Er hat seinen Vater _____ Geld gebeten.

20. Freust du dich auf Ostern? Ja, ich freue mich so _____.

Umlaute (Ä, Ö, Ü) = 1 Buchstabe

¹B	²E	³I		⁴		⁵		⁶		⁷		⁸		⁹
¹⁰														
¹¹					¹²									
¹³					¹⁴		¹⁵							
							¹⁶							
¹⁷				¹⁸	¹⁹					²⁰				
			²¹	²²										
²³			²⁴						²⁵					
								²⁶						
²⁷	²⁸				²⁹									³⁰
				³¹										
³²						³³		³⁴			³⁵			
											³⁶			
³⁷				³⁸						³⁹				

WAAGERECHT

1 Er fährt b** jedem Wetter mit dem Rad.

4 Meinst du es ernst oder machst du nur S****?

7 Jeder Schauspieler muss seine R**** gut lernen.

10 Siehst du morgen Herrn Schneider? Dann grüße i** von mir.

11 Bitte stell das Buch ins R**** zurück.

12 Italien ist keine Insel, aber eine H********.

13 Hier nicht parken! E******* freihalten!

15 In dieser G***** des Landes gibt es wilde Tiere.

17 Am Ufer des S*** lag ein Segelboot.

18 Die J***** ist eine schönere Zeit als das Alter.

20 Nähe mir bitte die Hose weiter, sie ist mir zu e**.

22 Wie viel m** soll ich dir sagen, dass du ins Bett gehen sollst?

23 Er lief nervös im Zimmer hin und h**.

24 Er hat das ganze Erbe gekriegt. Er hat seinen Onkel b*****.

25 Das Buch gehört mir. Das ist m*** Buch.

27 Ich muss immer am E***** des Monats die Miete zahlen.

29 Wir haben einen s******* Lehrer. Er lasst nichts durchgehen.

32 Bei der E******** der Bombe wurde niemand verletzt.

34 L**** du mir ein Märchen vor? Hier ist das Buch.

36 In England trinkt man mehr T** als in Deutschland.

37 Das Karussell d**** sich im Kreis.

38 Er läuft 100 M**** in 10 Sekunden.

39 Mein Mann ist e** ganz besonders lieber Mann.

SENKRECHT

1 Die B**** in der Lampe ist kaputt.

2 Ihre E** wurde schnell wieder geschieden.

3 Von Beruf ist er I********. Er versteht viel von Technik.

4 Ein einfacher S***** hat nicht so viel zu sagen wie ein General.

5 A**, ich wollte, ich wäre wieder jung!

6 Frau Schuster s*** zum Chef kommen. Möglichst schnell!

7 Der R******* wurde im Schlafwagen bestohlen.

8 Alle Namen der Kursteilnehmer stehen auf dieser L****.

9 Ich muss meinen Pass verlängern lassen, das will ich heute e********.

14 In den R***** unserer Schule darf nicht geraucht werden.

16 Ich brauche keine Hilfe. Das kann ich s*****.

17 Als sie die Maus sah, rannte sie s******** aus dem Zimmer.

19 Ich habe überhaupt kein Glück. Wirklich g** keins.

20 Heute morgen e******* sich auf der Autobahn ein schwerer Unfall.

21 Wir haben unseren Gast vom Bahnhof a*******.

26 Das ist falsch! Du hast einen F***** gemacht.

28 Möchten Sie vor dem Hauptgericht eine S****?

30 In der Schrift schreibt man Buchstaben, in der Musik N****.

31 Ich brauche einen neuen F*** für meine Kamera.

33 Spare in der Zeit, dann hast du in der N**. (Sprichwort)

35 Rede nicht so viel! S** lieber still!

Welches Wort passt nicht in die Reihe?

1. Tischtennis   Volleyball   ~~Reiten~~   Wasserball
2. Tochter   Großmutter   Zwillinge   Mutter
3. Ungarn   Zypern   Franzose   Niederlande
4. Vorspeise   Salat   Hauptgericht   Dessert
5. Wurst   Schinken   Speck   Muscheln
6. Zehe   Fuß   Bein   Knochen
7. Zucker   Salz   Pfeffer   Sauce
8. Zunge   Lippe   Zahn   Auge
9. Mars   Jupiter   Sonne   Erde
10. Storch   Strauß   Papagei   Adler
11. Widder   Jungfrau   Horoskop   Stier
12. GmbH   KG   AG   BMW
13. Niere   Leber   Zunge   Herz
14. Baustil   Barock   Gotik   Romanik
15. Kommunismus   Buddhismus   Islam   Hinduismus
16. Weihnachten   Ostern   Pfingsten   Ferien
17. Gewicht   Größe   Temperatur   Meter
18. Nordpol   Süden   Osten   Westen
19. Richter   Staatsanwalt   Zeuge   Urteil
20. Tulpe   Nelke   Rose   Baum

abgeholt Essig finde Frühstück Gebäude Geschenk Grad
Haltestelle Hemden Idee ~~In~~ Jahre Katze Können
Konferenz Leute Mal mit Möchtest Null

1. _In_ welchem Monat ist der Nationalfeiertag? Im Oktober.
2. _____ ist sie nett, mal ist sie unfreundlich.
3. Meine Freundin hat mich am Bahnhof _____.
4. _____ Sie mir ein Beispiel dafür nennen?
5. _____ du noch ein Stück Kuchen?
6. Das _____ hat zwanzig Stockwerke.
7. Ich _____, da haben Sie recht! Ich sehe das auch so.
8. Heute beginnen wir _____ einer Wiederholung.
9. Heute sind 10 _____ unter Null.
10. Nicht nur junge _____ tragen Jeans.
11. Die Blumen sind ein _____ von meiner Nichte.
12. Die Kinder spielen gern mit der _____. Aber sie kratzt!
13. Die _____ waren sehr schmutzig.
14. Die _____ der Außenminister war ein Misserfolg.
15. Eine Lohnerhöhung? Wie sind Sie auf diese _____ gekommen?
16. Wir haben die Wohnung für drei _____ gemietet.
17. Den Salat mache ich mit Öl, _____ und Gewürzen an.
18. Am Sonntag esse ich zum _____ ein Ei.
19. Dort fährt der Bus ab. Das ist die _____.
20. Wasser gefriert bei _____ Grad.

Was passt links und rechts zusammen?

1. Kinn   Benzin
2. Kirche   Donner
3. Blitz   Bart
4. Wein   Glas
5. Auto   Papst

a. Hemd   Olympiade
b. Sport   Ampel
c. Himmel   Wolke
d. Musik   Kragen
e. Kreuzung   Noten

I. Baum   Wirkung
II. Gesicht   Antwort
III. Frage   Nase
IV. Richter   Holz
V. Ursache   Urteil

A. Heizung   Portmonee
B. Dom   Wahlen
C. Geld   Miete
D. Wohnung   Wärme
E. Parteien   Baustil

Finden Sie die logische Entsprechung.

1. Foto : fotografieren = Gemälde : _malen_____

2. Elefant : Rüssel = Mensch : _____

3. Pullover : Wolle = Gürtel : _____

4. höflich : Höflichkeit = intelligent : _____

5. Belgien : Land = Europa : _____

6. Auto : Motor = Kutsche : _____

7. weiß : schwarz = fröhlich : _____

8. Freude : lachen = Schmerz : _____

9. Island : Insel = Alpen : _____

10. Atlantik : Ozean = Rhein : _____

11. Quadrat : eckig = Kreis : _____

12. Senf : scharf = Zucker : _____

13. Greis : alt = Baby : _____

14. Waschmaschine : waschen = Herd : _____

15. Bügeleisen : bügeln = Spülmaschine : _____

16. Teppich : Fußboden = Lampe : _____

17. Orange : orange = Zitrone : _____

18. Schrift : Buchstaben = Musik : _____

19. Mücke : stechen = Schlange : _____

20. Kilo : Gewicht = Meter : _____

Welche Körperteile sind gemeint?

Man kann ...

1. damit jemand umarmen - <u>die Arme</u>
2. damit das Essen kauen - _____
3. damit denken - _____
4. damit jemand küssen - _____
5. damit kräftig zuschlagen - _____
6. damit riechen - _____
7. damit sehen - _____
8. damit hören - _____
9. sie sich brechen - _____
10. es schlagen hören - _____
11. damit schreiben - _____
12. damit auf etwas zeigen - _____
13. damit die Temperatur fühlen - _____
14. sie beim Friseur schneiden lassen - _____
15. ihn rasieren - _____
16. damit den Kopf bewegen - _____
17. damit atmen - _____
18. damit seine Kraft gebrauchen - _____
19. damit jemanden treten - _____
20. damit schnell laufen - _____

Silbenrätsel: Wie heißen die Hauptstädte dieser Länder?

A-A-BEL-BERN-BON-BRÜS-BU-BU-DA-DON-DRID-FI-GEN-
GRAD-GREB-HA-HOLM-KA-KAU-KO-LIS-LO-LON-MA-MOS-OS-
PA-PEN-PEST-PRAG-REST-RIS-ROM-SA-SCHAU-SEL-SO-STOCK-
THEN-WAR-WIEN-ZA

Beispiel: Deutschland **BER-LIN**

1. Belgien   _____
2. Bulgarien   _____
3. Dänemark   _____
4. Frankreich   _____
5. Griechenland   _____
6. Großbritannien _____
7. Italien   _____
8. Jugoslawien   _____
9. Kroatien   _____
10. Norwegen   _____
11. Österreich   _____
12. Polen   _____
13. Portugal   _____
14. Rumänien   _____
15. Russland   _____
16. Schweden   _____
17. Schweiz   _____
18. Spanien   _____
19. Tschechien   _____
20. Ungarn   _____

TEST 39 Finden Sie waagerecht oder senkrecht 15 Getränke.

A	L	Q	W	K	L	B	T	D	H	E	A	Y
P	I	M	E	A	I	V	O	U	C	M	F	G
F	M	X	I	K	U	Q	**M**	**I**	**L**	**C**	**H**	N
E	O	M	N	A	Z	K	A	F	F	E	E	Z
L	N	A	O	O	J	Z	T	L	I	K	Ö	R
S	A	O	R	A	N	G	E	N	S	A	F	T
A	D	F	N	W	E	I	N	B	R	A	N	D
F	E	D	X	P	S	O	S	T	D	W	T	R
T	M	C	I	V	U	K	A	G	L	L	E	U
W	H	I	S	K	Y	Y	F	G	V	Z	E	M
E	L	Y	O	K	R	W	T	B	I	E	R	H
M	I	N	E	R	A	L	W	A	S	S	E	R

Setzen Sie ein.

beim	~~Bis~~	Briefkasten	Club	Darf	des	Ei	Eltern	erst
Euro	fällen	fahrende	Fisch	Gegen	gesessen	Grund		
Hast	Hoffentlich	ihnen	ins					

1. **Bis** jetzt ist mein Wagen nie kaputt gewesen.

2. Herr Meier ist heute _____ Arzt.

3. _____ du das genau beobachtet?

4. _____ ich mich zu Ihnen setzen?

5. _____ Kälte kann man sich schützen, gegen Hitze nicht.

6. _____ sehen wir uns bald einmal wieder.

7. Wann wird der _____ geleert? Ich habe noch Post.

8. Schäle bitte mein ____, es ist mir zu heiß.

9. Leben Ihre _____ noch? - Nein, die sind schon tot.

10. Darf ich _____ einen Kaffee anbieten? Nehmen Sie Milch?

11. Der Mann sprang auf die _____ Straßenbahn auf.

12. Die Brieftasche _____ Touristen war verschwunden.

13. Die Männer sind heute Abend im Kegel_____.

14. Sie haben keinen _____, sich zu beschweren.

15. Sie sind nicht dran! _____ komme ich an die Reihe.

16. In manchen _____ klappt das, aber nicht in jedem Fall.

17. Er hat ein paar Jahre im Gefängnis _____.

18. Die Währung in den meisten europäischen Ländern ist der _____.

19. Er kam von der harten Arbeit ganz schön _____ Schwitzen.

20. Zum _____ gehört meiner Meinung nach etwas Zitrone.

¹B	A	²D		³		⁴		⁵		⁶		⁷		⁸
⁹					¹⁰	¹¹								
					¹²									
¹³									¹⁴					
						¹⁵								
¹⁶				¹⁷								¹⁸		
			¹⁹											
²⁰			²¹							²²				
								²³						
²⁴	²⁵				²⁶									²⁷
				²⁸										
²⁹									³⁰					
³¹				³²							³³			

WAAGERECHT

1 Er nimmt ein B** in der Badewanne.

3 ‚N****' ist das Gegenteil von ‚Nichte'.

6 Wir haben kein Licht. Es gibt nämlich keinen S****.

9 Wie geht es I**** Frau und Ihren Kindern?

10 Ein A******** ist ein Teil eines Lesetextes.

12 Menschen in großer Armut leben in N**.

13 Dein angebranntes Essen s******* mir nicht!

14 Wir essen gegen 13.00 Uhr zu M*****.

16 Trink nicht aus der Flasche, sondern aus einem G***!

17 Du bist intelligent, du l***** sehr schnell neue Wörter.

18 Ich bin müde. Ich habe g** keine Lust, ins Kino zu gehen.

20 Ein anderes Wort für ‚das Meer' ist ‚die S**'.

21 Vorn ist der Bauch, hinten der R*****.

22 Eins, zwei und d***.

24 Unsere H***** haben viele Eier gelegt.

26 In einer Demokratie entscheidet die M******* des Volkes.

28 Er hat mich gesehen, aber ich s** ihn nicht.

29 Viele Senioren leben in einem A********.

30 Haschisch ist eine weiche D****.

31 Ein K**** ist rund.

32 Hast du was zu trinken? Ich habe großen D****!

33 Ihre E** wurde nach kurzer Zeit geschieden.

SENKRECHT

1 Er b**** alle Kerzen auf der Torte aus und aß ein Stück.

2 Achtung, dies ist eine wichtige D********: Ein Geisterfahrer ...

3 Skandinavien liegt im N***** Europas.

4 Lyon und Marseille liegen in F*********.

5 E*** die Arbeit, dann das Vergnügen!

6 Das Baby konnte nur ein paar S******* machen, dann fiel es um.

7 Der Außenminister r**** um die ganze Welt.

8 In der M******** kauft man Wurst und Fleisch.

11 Er b** mir eine Zigarette an, aber ich lehnte ab.

15 Das Gespräch verlief in freundlicher, a********* Atmosphäre.

16 Ohne Salz hat die Suppe keinen G********.

18 Häng den Mantel an die G********.

19 Das E******* von 3 mal 3 ist 9.

23 Vielleicht gibt dir die Bank einen K*****, wenn du kein
   Geld hast.

25 In der Wüste herrscht tagsüber eine große H****.

26 Der fünfte Monat ist der M**.

27 Ich mag T**** und Pflanzen sehr.

28 Kommt mich besuchen! Ihr s*** immer willkommen.

TEST 42 Finden Sie die logische Entsprechung.

1. Flugzeug : Pilot = Schiff : **Kapitän**_____
2. hoch : tief = Berg : _____
3. Autobahn : breit = Weg : _____
4. Mieter : Vermieter = Arbeitnehmer : _____
5. Arznei : Apotheker = Schmuck : _____
6. Berg : Tunnel = Fluss : _____
7. Ankara : Türkei = Sofia : _____
8. Mehl : Brot = Kakao : _____
9. Anfang : Ende = Morgen : _____
10. Stockholm : Schweden = Madrid : _____
11. Nuss : Nussknacker = Dose : _____
12. Astronomie : Weltall = Geografie : _____
13. dick : dünn = zunehmen : _____
14. verteidigen : angreifen = Verteidigung : _____
15. bitten : danken = Bitte : _____
16. Japan : Yen = USA : _____
17. Wüste : Sand = Meer : _____
18. Milch : Kaffee = Zitrone : _____
19. Person : Regenschirm = Haus : _____
20. Geschenk : Verpackung = Brief : _____

Stimmt das?

1. Wenn es viel regnet, gibt es ein Erdbeben. _nein_
2. Beethoven war ein deutscher Schriftsteller. _____
3. Ein Vermieter muss Miete bezahlen. _____
4. Hannover liegt in Niedersachsen. _ja_____
5. Eine Schnecke hat vier Füße. _____
6. Die Ruhr fließt in den Rhein. _____
7. Bilder haben meistens einen Rahmen. _____
8. An der Mosel wächst Wein. _____
9. Sorbisch ist eine kleine Sprache in Deutschland. _____
10. Chemnitz hieß früher Karl-Marx-Stadt. _____
11. Der Mont Blanc ist der höchste deutsche Berg. _____
12. Der Bruder meines Vaters ist mein Onkel. _____
13. Viele Bienen geben Milch. _____
14. Ich habe zehn Zehen. _____
15. Der Eiffelturm steht in Berlin. _____
16. Im Süden der Schweiz spricht man Italienisch. _____
17. Frankfurt liegt am Main und an der Oder. _____
18. Blumenkohl ist eine Blume. _____
19. Ein Fuchs sieht aus wie ein Löwe. _____
20. Eier und Bananen kann man schälen. _____

Finden Sie die logische Entsprechung.

1. Bibel : Kirche = Speisekarte : _Restaurant_____
2. Auto : Lenkrad = Fahrrad : _____
3. gehen : Bürgersteig = fahren : _____
4. Oslo : Norwegen = Bukarest : _____
5. Biene : Honig = Kuh : _____
6. Bär : Fell = Banane : _____
7. Hirsch : Geweih = Stier : _____
8. Garten : Zaun = Land : _____
9. Donner : Schall = Blitz : _____
10. Klinik : krank = Friedhof : _____
11. Tresor : Stahl = Karton : _____
12. Haus : Treppe = Baum : _____
13. Uhr : Zeit = Thermometer : _____
14. Lehrer : Schüler = Arzt : _____
15. Universität : studieren = Fabrik : _____
16. Auto : Garage = Brief : _____
17. Spazierstock : gehen = Brille : _____
18. Mond : Nacht = Sonne : _____
19. Zeitung : lesen = Musik : _____
20. Auge : blind = Ohr : _____

Wie heißt das Gegenteil?

Beispiel: der Junge - das Mädchen

1. der Feiertag - der W_____
2. die Strafe - die B_____
3. die Einnahmen - die A_____
4. die Hochzeit - die S_____
5. der Tod - das L_____
6. der Verlust - der G_____
7. der Vorteil - der N_____
8. der Sohn - die T_____
9. die Mutter - der V_____
10. der Schüler - der L_____
11. der Arzt - der P_____
12. die Nacht - der T_____
13. der Anfang - das E_____
14. der Eingang - der A_____
15. der Winter - der S_____
16. der Abend - der M_____
17. die Nähe - die F_____
18. der Frieden - der K_____
19. der Erwachsene - das K_____
20. die Trauer - die F_____

Setzen Sie ein.

ab	Am	Arm	aus	Band	Berg	Bist	Brieftasche	Co.
darüber	Deutsch	Dorf	Es	Fall	Filter	schmutzig	Tickets	
Um	Was	~~Zu~~						

1. _Zu_ Beginn des nächsten Jahres ziehen wir um.

2. ____ Sonntag arbeitet niemand.

3. ____ Strom zu sparen, schalten wir die Heizung nachts aus.

4. ____ folgen Nachrichten.

5. _____ bekommen Sie? Ein Bier?

6. _____ du verrückt geworden?

7. Fall nicht _____ dem Fenster!

8. Das Geld steckt in meiner _____.

9. Was würden Sie in einem solchen _____ tun?

10. Hast du die _____ und die Pässe für den Flug?

11. Er raucht nur Zigaretten ohne _____.

12. Jeder Band _____ der Lexikonreihe ist einzeln zu kaufen.

13. Mein Sohn will Germanistik, also _____ studieren.

14. Der Zug fährt um 5.18 Uhr von Köln ____.

15. Wasch dich! Deine Hände sind _____!

16. Dieser Bauer hat den größten Hof im _____.

17. Umweltschutz? _____ müsste man mehr nachdenken.

18. Vom dem _____ hat man eine tolle Aussicht ins Tal.

19. Spedition Schulz & ____ wird im Handelsregister eingetragen.

20. Er hat eine Tätowierung am _____, Rücken und an der Brust.

Finden Sie waagerecht oder senkrecht 16 Begriffe zur Verwandtschaft.

H	R	Z	E	**V**	Q	S	E	U	H	P	M	S
E	P	W	N	**E**	U	O	N	J	R	S	S	C
L	B	I	K	**T**	R	H	K	T	G	N	C	H
J	X	L	E	**T**	G	N	E	O	I	W	H	W
O	O	L	L	**E**	R	N	L	M	M	Q	W	A
D	M	I	I	**R**	O	Z	I	A	V	R	Ä	G
S	G	N	K	U	S	I	N	E	E	X	G	E
U	R	G	R	O	S	S	M	U	T	T	E	R
U	O	E	S	Q	V	N	E	F	F	E	R	C
Q	V	H	O	P	A	K	R	N	U	W	I	Y
Z	T	O	C	H	T	E	R	Y	Q	K	N	K
K	F	D	I	Z	E	N	I	C	H	T	E	K
M	U	T	T	E	R	T	N	B	P	D	H	O

S	A	G	S	T							

(Kreuzworträtsel-Gitter mit eingetragenen Buchstaben: 1 S A G S T)

WAAGERECHT

1 S**** du immer die Wahrheit?

5 Er b****** zuerst die Kinder ins Bett. Dann hatte er Ruhe.

9 H** mir bitte die Pantoffeln, die Zeitung und ein Bier!

10 Sie s***: „Hol dir dein Bier selbst aus dem Keller!"

11 Die I******** und der Handel wollen viele Menschen entlassen.

13 Am E****** der Firma sitzt ein Pförtner.

14 Der Politiker redete zu den Menschen in den S****** und Dörfern.

16 Jan ist krank. ** kann nicht zur Schule.

17 Das Klavier klingt gut. Mir gefällt sein K****.

19 Warum duschst du so lange? Ich will auch ins B**!

20 Er ist früh i** Bett gegangen.

22 Ich trinke morgens T** zum Frühstück.

23 Ich gehe morgen ins Kino. Kommst du m**?

25 Weißt du, w** lange die Geschäfte geöffnet sind?

26 Eine R**** sieht aus wie eine große Maus.

27 Brauchst ** wieder mal Geld?

28 A****** glaubte ich ihm noch, aber später nicht mehr.

31 Der Himalaya ist ein h****** Gebirge als die Alpen.

34 In der medizinischen F********* braucht man Versuchstiere.

35 Sie l**** ihren Mann nicht zu Wort kommen.

36 Gefrorenes Wasser ist E**.

37 Gehen wir in die Oper oder ins T******?

38 Er liebt T**** mehr als Menschen.

SENKRECHT

1 Der Braten gibt eine gute S****. Hast du einen Löffel?

2 Nicht die Zukunft oder Vergangenheit zählt, sondern die G********.

3 Das T**** des Aufsatzes hieß: ‚Mein schönstes Erlebnis.'

4 Während des Mittagessens k******** das Telefon.

6 Ich komme nicht aus diesem Land. Ich bin A********.

7 Wann h**** du endlich auf zu rauchen?

8 Ihre Eltern waren gegen die E**. Sie durfte ihn nicht heiraten.

12 Er geht in die Wohnung d** Freundes.

15 E** Pfund Kaffee, bitte!

17 Sie k** wieder mal zu spät.

18 Wir haben ihr zum Geburtstag alles Gute g********.

19 B******** Sie sich! Regen Sie sich nicht auf!

20 Sport? Interessiert mich nicht. Daran habe ich kein I********.

21 In diesem S** darf man nicht baden.

24 Wir müssen i** wecken, er schnarcht so laut.

29 Mir gefällt die F**** deiner Augen. Ich mag braune Augen.

30 Ein weibliches Schwein ist eine S**.

32 H**** du für unseren Gast noch einen Stuhl?

33 Ich s**** mich jetzt an den Tisch und lese die Zeitung.

34 Wenn du Sport machst, bleibst du f**!

TEST 49 Setzen Sie ein.

1. Oh , wie gut dein Parfüm riecht!

2. _____ Wetterbericht kriegen wir Regen, aber - wer weiß!

3. _____ Appetit! - Danke gleichfalls.

4. _____ Sie immer die Straße entlang.

5. _____ jeder Chef lobt seine Mitarbeiter.

6. Das _____ hat ein Ei gelegt, deshalb gackert es so.

7. Das bunte _____ gefällt mir gut. Kaufst du's mir, Schatz?

8. Ich höre gern klassische _____.

9. Ich koche schnell einen _____ für Sie.

10. Ich verbringe meinen Urlaub gern in fernen _____.

11. Meiner Meinung nach ist der _____ nicht zu realisieren.

12. Der Film bekam eine schlechte _____.

13. Heute _____ Oma das Essen gekocht.

14. Vielen Dank für _____ Hilfe. - Gern geschehen.

15. Hier ist ein Brief _____ Peter.

16. Wiesbaden ist die Hauptstadt des Landes _____.

17. Rauchen schadet der _____.

18. Er _____ ins Zimmer eingetreten.

19. Er sammelt _____ für seinen nächsten Artikel.

20. Zum Trinken bitte eine Flasche _____.

Finden Sie die logische Entsprechung.

1. Uhrmacher : Uhren = Schuster : _Schuhe_____
2. Anker : Kette = Hund : _____
3. Flügel : Vogel = Flosse : _____
4. Koch : Küche = Gärtner : _____
5. Salat : Dressing = Braten : _____
6. Weihnachtsmann : Weihnachten = Osterhase : _____
7. Zimmerdecke : Fußboden = Dachboden : _____
8. Wort : Satz = Ton : _____
9. anfangen : aufhören = einschlafen : _____
10. bejahen : verneinen = annehmen : _____
11. verbieten : erlauben = Verbot : _____
12. Musikstück : Komponist = Gedicht : _____
13. Hände : streicheln = Lippen : _____
14. Rhein : Deutschland = Nil : _____
15. Winzer : Wein = Brauer : _____
16. Licht : Lichtschalter = Kerze : _____
17. Physik : physikalisch = Chemie : _____
18. Messer : scharf = Nadel : _____
19. Nigeria : Afrika = Vietnam : _____
20. Violine : Trommel = leise : _____

¹N	I	²M	M	³T		⁴		⁵		⁶		⁷		⁸
				⁹										
¹⁰					¹¹			¹²						
¹³							¹⁴				¹⁵			
¹⁶			¹⁷	¹⁸		¹⁹				²⁰		²¹		
²²	²³		²⁴					²⁵						
²⁶		²⁷			²⁸	²⁹		³⁰				³¹		
³²					³³			³⁴						
						³⁵								
³⁶							³⁷							

WAAGERECHT

1 Wenn sie nicht schlafen kann, n**** sie ein heißes Bad.

4 Die S********* warteten am Skilift und froren.

9 Die Frau hat zwar viel Geld, aber sie ist mir zu a**.

10 Den Worten müssen irgendwann auch T**** folgen.

11 Um wie viel U** fängt der Deutschkurs an?

12 Das Pferd gab ihm einen T**** in den Bauch.

13 Er nahm den Schirm mit, weil es r******.

14 Es ist Viertel nach Vier, also 15 M****** nach Vier.

16 Die Arbeiter arbeiten in Fabriken, die Angestellten in B****.

18 Ich t**** immer im Lotto, aber gewonnen habe ich noch nie.

20 Dein Rock ist zu e**! - Du bist zu dick!

22 Pass auf! S** vorsichtig!

24 Die Ernte h**** vom Wetter ab.

25 Der Januar ist der erste M**** im Jahr.

26 Zum B****** gehören Messer, Gabel und Löffel.

29 Die Straße hat Kurven. Sie führt einen Fluss e******.

32 M**** sehr verehrten Damen und Herren!

33 Seine A** zu lachen mag ich. Sie ist so ansteckend.

34 S**** ein schlechtes Wetter heute!

35 Gefrorenes Wasser ist E**.

36 Morgen habe ich keine Zeit. Ich muss einige Dinge e********.

37 Ich bin nicht verheiratet, aber ich habe e**** Freund.

SENKRECHT

1 Im Frühling erwacht die N****.

2 Fleisch kaufe ich am liebsten in der M********.

3 Die Schwester meines Vaters ist meine T****.

4 Die S******** protestieren gegen die hohen Studiengebühren.

5 Bitte unterschreiben Sie mit I**** vollen Namen.

6 Viele Senioren leben allein im A********.

7 Der Gast r**** schon morgen früh ab.

8 Ich brauche einen guten Rat. Wozu r**** Sie mir?

15 Man findet nicht leicht e** billiges Zimmer in Berlin.

16 B** Mitte der Woche sind wir mit der Arbeit fertig.

17 Als sie die Maus sah, verließ sie s******** das Zimmer.

19 Bei der Visite besucht der Chefarzt die P********.

20 Wollen Sie Geld vom Konto abheben oder aufs Konto e********?

21 G**, besser, am besten.

23 Die E** ist eine Gemeinschaft fürs Leben.

26 Die Nachricht vom Attentat schlug wie eine B**** ein.

27 Er raucht zu viel. Er setzt seine Gesundheit aufs S****.

28 Die Glocke hat einen wunderschönen K****.

30 Darf ich Ihnen eine T**** Kaffee anbieten?

31 Die meisten g**** mit 65 Jahren in Rente.

> ab ~~Am~~ arm aus Banken Bericht Bitte Brille Ratte Rom
> Schloss Sein Sitzung sprechen Strümpfe Toilettenpapier
> Trotz uns weh Wer

1. **Am** Wochenende kriegen wir besseres Wetter.
2. _____ ist die Hauptstadt Italiens.
3. _____ kommt als Nächster dran? - Ich.
4. _____ Gesundheitszustand hat sich verschlechtert.
5. _____ der Zentralheizung war es kalt.
6. _____ nicht stören!
7. Meine Zähne tun mir ____!
8. Man trinkt Bier nicht _____ einer Tasse!
9. Ich suche meine _____. - Du hast sie auf der Nase!
10. Meine _____ haben Löcher. Ich muss sie stopfen.
11. Der Schlüssel passt nicht ins _____.
12. Die Abendzeitung hat einen _____ darüber gebracht.
13. Die Gangster hatten mehrere _____ ausgeraubt.
14. Ich kann Deutsch verstehen, aber nicht so gut _____.
15. Eine _____ sieht aus wie eine große Maus.
16. Er ist _____ dran, der tut mir Leid!
17. Er kommt uns nur ____ und zu mal besuchen.
18. Er verließ die _____, ohne ein Wort zu sagen.
19. Es gab keine Dusche, wir konnten _____ nicht mal duschen.
20. Auf dem Klo fehlt _____! Bring eine Rolle!

Finden Sie waagerecht oder senkrecht 34 Körperteile.

K	O	P	F	B	A	R	T	B	X	H	J	A	K	W	T
F	I	N	G	E	R	M	Z	A	H	N	J	F	I	H	H
K	G	**O**	**H**	**R**	**L**	**Ä**	**P**	**P**	**C**	**H**	**E**	**N**	N	A	J
K	A	R	M	P	B	R	U	S	T	G	D	B	N	U	U
D	J	Ü	N	O	A	R	Z	E	H	E	K	A	L	T	J
D	E	C	A	I	U	X	N	H	G	L	N	U	I	R	I
Z	T	K	C	R	G	D	A	A	B	S	O	C	P	U	U
H	I	E	K	A	E	T	S	A	L	N	C	H	P	W	B
I	F	N	E	D	M	L	E	R	K	T	H	X	E	S	E
L	L	Z	N	Q	S	C	H	U	L	T	E	R	M	L	I
G	D	H	D	A	U	M	E	N	B	C	N	Q	U	J	N
H	K	N	I	E	I	H	H	W	A	N	G	E	N	Q	S
G	E	S	I	C	H	T	H	B	U	S	E	N	D	R	S
F	O	R	F	I	N	G	E	R	N	A	G	E	L	C	O
H	A	N	D	F	V	A	U	G	E	N	B	R	A	U	E
H	Z	T	Z	U	N	G	E	S	L	I	D	H	A	L	S

Was passt links und rechts zusammen?

1. Blumen   Fahrkarte
2. Auto   Kofferraum
3. Bahn   Deckel
4. Kaffee   Vase
5. Topf   Zucker

a. Suppe   Messer
b. Fieber   Thermometer
c. Treppe   Skilift
d. Wurst   Löffel
e. Schnee   Geländer

I. Fahrrad   Klingel
II. Theater   Bier
III. Kneipe   Clown
IV. Zirkus   Leder
V. Tasche   Bühne

A. Zoo   Steuern
B. Finanzamt   Stern
C. Himmel   Koffer
D. Disko   Musik
E. Gepäck   Tiere

Creme   das   dich   drehte   erziehen   Es   Fehler
Fortschritt   Geld   Gib   habe   hätten   Haus   Hier   ~~Im~~
Jacke   Kannst   Koffer   vor   zu

1. _Im_ Keller ist noch eine Dose Gemüse.

2. Er besucht uns ab und ____.

3. ____ ist nicht schwer, das Rätsel zu lösen.

4. Kinder sind nicht immer leicht zu _____.

5. _____ mir mal dein Buch. Ich gebe es dir gleich zurück.

6. _____ hört die Hauptstraße auf.

7. _____ spielt in diesem Fall keine Rolle.

8. _____ du mir ein bißchen Geld leihen?

9. Wenn wir etwas mehr Zeit _____! Dann blieben wir noch.

10. _____ zu machen ist menschlich.

11. Die Sache kommt mir komisch _____.

12. Ich _____ in dieser Sache nicht mehr zu sagen.

13. Ich habe den _____ schon für die Reise gepackt.

14. Gestern _____ Peter schon um 6 Uhr morgens das Radio an.

15. Die Entdeckung des Virus war ein großer _____.

16. Zieh eine _____ an. Es ist kalt draußen.

17. Hier ist _____ Buch, das du suchst.

18. Wir wohnen in einem _____ mit 6 Zimmern.

19. Du hast vergessen, _____ zu rasieren.

20. Diese _____ ist gut gegen Falten.

Welches Wort passt nicht in die Reihe?

1. Bananen   Himbeeren   ~~Benzin~~   Erdbeeren
2. riechen   backen   blasen   atmen
3. Berg   Bild   Blumenvase   Bücherregal
4. blau   braun   hart   gelb
5. bleiben   springen   hüpfen   klettern
6. Blitz   Donner   Regenbogen   Mond
7. Briefkasten   Klingel   Haustür   Auto
8. Buchhandlung   Drogerie   Feuerwehr   Friseur
9. Bürste   Creme   Kamm   Gabel
10. Papier   Garten   Zaun   Veranda
11. Computer   Gürtel   Handschuh   Hemd
12. Dänemark   Schweden   Finnland   Griechenland
13. Deckel   Korken   Verschluss   Streichholz
14. Deutschland   Österreich   Schweiz   Polen
15. USA   Australien   Großbritannien   Frankreich
16. Chile   Brasilien   Argentinien   Uruguay
17. Dezember   Sommer   Herbst   Winter
18. Diskothek   Musik   Getränke   Friedhof
19. Topf   Dosenöffner   Korkenzieher   Flaschenöffner
20. dumm   geizig   intolerant   sympathisch

Wie viele Autoteile können Sie finden?

Die senkrechten Buchstaben ergeben einen Begriff, der Ihnen das Leben retten kann

B	R		M						
	R		D		O				
		T			H	O			
					U	P			
			L		N	K			D
					A	D			
		S	C		E		B	E	
R		C	S	P		G		L	
		B	L			K		R	
		M			O	R			
H		D	B	R	M				
						S	P	D	L
O	F	F	R	R		M			
		F			N	L	C	H	T
		S	I		Z				

> Käse   Mai   Meine   mit   Mühe   nun   Paket   Preisschild
> reichen   sah   Schritt   setze   Soll   Stell   Tafel   tippe   ~~Um~~
> war   Wochenende   Zoo

1. **Um** 12 Uhr haben wir Mittagspause.
2. _____ ich ein Taxi für Sie bestellen?
3. _____ Frau hat braune Augen, meine Kinder blaue.
4. _____ das Bier in den Kühlschrank, es wird sonst zu warm!
5. Am _____ arbeitet niemand in der Firma.
6. Hast du das _____ zur Post gebracht?
7. Ich _____ auf den Gärtner als Mörder!
8. Ich _____ mich aufs Sofa und sehe fern.
9. Ich danke Ihnen schon jetzt für Ihre _____.
10. Ich unterhalte mich _____ ihr immer auf Englisch.
11. Gehen wir in den _____, um Tiere anzuschauen.
12. Der Fahrer _____ das Kind mit dem Ball zu spät.
13. Der Kompromiss war ein _____ in die richtige Richtung.
14. Der Lehrer schreibt das neue Wort an die _____.
15. Der _____ ist der fünfte Monat.
16. Die _____ müssen immer den Armen helfen.
17. Wie teuer ist das? Was steht auf dem _____?
18. Möchten Sie den holländischen _____ mal probieren?
19. Vor einiger Zeit _____ ich in Ägypten.
20. Du hast es versprochen, _____ musst du es auch tun.

Finden Sie die logische Entsprechung.

Bruder   Bücher   bügeln   China   Christentum   Hund
Kette   Krieg   leise   Obst   Österreich   rot   ~~sauer~~   Seiten
Sonnenuntergang   Süden   Tag   Universität   Woche   Zahnarzt

1. Grapefruit : bitter = Essig : _sauer_

2. Weizen : Getreide = Pfirsich : _____

3. Morgen : Abend = Sonnenaufgang : _____

4. Sekunde : Minute = Stunde : _____

5. Baum : Blätter = Buch : _____

6. Buddha : Buddhismus = Christus : _____

7. Wäschetrockner : trocknen = Bügeleisen : _____

8. Schüler : Schule = Student : _____

9. Wind : Sturm = Konflikt : _____

10. Kiosk : Zeitungen = Buchhandlung : _____

11. Lärm : Stille = laut : _____

12. Rom : Italien = Wien : _____

13. Tiger : Katze = Wolf : _____

14. Januar : Jahr = Montag : _____

15. Mädchen : Junge = Schwester : _____

16. Finger : Ring = Hals : _____

17. Gurke : grün = Tomate : _____

18. Beinbruch : Orthopäde = Zahnschmerzen : _____

19. Arktis : Norden = Antarktis : _____

20. Moskau : Russland = Peking : _____

Welches Wort passt nicht in die Reihe?

1. ~~unsympathisch~~ großzügig hilfsbereit höflich
2. Eimer Tuch Schwamm Teebeutel
3. Eishockey Tor Eiskunstlauf Fechten
4. Elch Elefant Enkel Fuchs
5. Enkelin Bettdecke Kusine Urgroßmutter
6. Ente Esel Eile Gans
7. sprechen flüstern rufen gähnen
8. Feigen Kirschen Kiwis Kinder
9. Feile Hammer Hobel Papier
10. Schuh Sandale Schal Stiefel
11. Bild Wand Tapete Teppich
12. Fernseher Gardine Heizung Himmel
13. Finger Hand Daumen Gesicht
14. Gürtel Hose Hosenträger Hut
15. Kreditkarte Scheck Bargeld Brieftasche
16. Fliege Mücke Ziege Biene
17. Flöte Geige Cello Gitarre
18. Fußball Golf Handball Opernball
19. Gemüsehandlung Juwelier Konditorei Zahnarzt
20. Geschäft Giraffe Gorilla Kamel

1. Der Mond ist größer als die Sonne. _nein_____
2. Sauerkraut hat eine blaue Farbe. _____
3. In München gibt es Biergärten. _ja_____
4. Eine Tulpe ist ein Fisch. _____
5. Durch Wien fließt die Donau. _____
6. Liechtenstein liegt zwischen der Schweiz und Österreich. _____
7. Die meisten Einwohner von Dresden sind Sachsen. _____
8. Ein Gletscher besteht aus Eis. _____
9. Eine Ameise ist ein großes Tier. _____
10. Im Nebel kann man schlecht sehen. _____
11. Das Ruhrgebiet liegt in Nordrhein-Westfalen. _____
12. Der erste deutsche Bundeskanzler hieß Konrad Adenauer. _____
13. Mit Aktien kann man Geld verdienen. _____
14. Ein Papagei ist ein Vogel. _____
15. In Stuttgart spricht man schwäbischen Dialekt. _____
16. Diesel kann man trinken. _____
17. Wenn es hagelt, geht man spazieren. _____
18. Für einen Nagel braucht man einen Hammer. _____
19. Einen Schlitten braucht man nur im Sommer. _____
20. Der Chiemsee liegt in Bayern. _____

A¹	L	Ä²	R	M³	▓	⁴		⁵		⁶		⁷		⁸
⁹					10						▓			
11					12		13							
14			15	16		17					18		19	
20			21					22						
23	24			25		26		27				28		
29						30	31							
32							33							

WAAGERECHT

1 Bei dem Einbruch wurde die A****anlage ausgelöst.

4 Er hat der Dame seinen Sitzplatz a*******, aber sie hat abgelehnt.

9 Sie stört mich immer. Sie l**** mich nicht in Ruhe.

10 Was sind Sie von Beruf? Welche T******* üben Sie aus?

11 Es regnet! Nehmt die Regen****** mit!

13 Die Deutschen zahlen zu viele S***** an das Finanzamt.

14 Man sagt, dass das K**** auf der Erde wärmer wird.

16 Besuchst du mich morgen? - Tut mir Leid, das geht n****.

18 Jetzt ist es kaputt! - A**, du Schande!

20 Ich muss jetzt endlich m** meiner Arbeit anfangen.

21 Ich kann das ohne Brille nicht lesen, aber ich f**** sie einfach nicht.

22 Der T**** des Buches heißt: „Leichte Tests".

23 Putzt du dir wirklich m****** und abends die Zähne?

26 E****** kommst du! Ich warte schon eine Stunde!

29 Er hat den Dienstwagen ohne E******** des Chefs genommen.

31 Das kann ich nicht bezahlen. Das ist mir viel zu t****.

32 Gestern e******** sich auf der Autobahn A8 ein schwerer Unfall.

33 Man sagt, Liebe geht durch den M****.

SENKRECHT

1 Ich will keinen Kompromiss: Ich will a**** oder nichts.

2 Ein A******** ist ein Teil eines Kapitels im Buch.

3 Ein Kilometer hat 1000 M****.

4 Arbeiten ist die einfachste A** und Weise, um reich zu werden.

5 Erich Kästner schrieb: „Es gibt nichts G****, außer man tut es."

6 Nach dem Kino hat er sie bis zur Haustür b********.

7 Täglich sterben viele T**** und Pflanzen aus.

8 Kannst du N**** lesen? - Nein, ich verstehe nichts von Musik.

12 Sie hat e**** sehr netten Freund.

14 Peter k** immer zu spät zur Arbeit. Deshalb hat man ihm
   gekündigt.

15 Bei der Prüfung stotterte er vor A********.

17 Diese C**** ist gut gegen Sonnenbrand.

18 Einen Mixer? Den finden Sie in der A******** für Elektrogeräte.

19 Sei so nett und h** mir ein Taschentuch aus dem Schrank.

23 Er verlor die Wohnung, weil er die M**** nicht bezahlen konnte.

24 Der Schauspieler versuchte, die neue R**** auswendig zu lernen.

25 S****, Mond und Sterne ...

27 Welches D**** haben wir heute? Den dritten?

28 Ich finde H**** Schneider nett, aber seine Sekretärin absolut
   nicht!

30 Inge ist so ruhig. Ist s** krank?

DIEMUTTERDIEDIEMEISTENKINDERINDEUTSCHLANDHATTE
LEBTEWOHLVORETWA500JAHRENAUFDEMGRABSTEINDIESER
FRAUSTEHTDASSSIE38JUNGENUND15MÄDCHENALSO53BABYSZ
URWELTBRACHTEIMVERGLEICHZUEINERRUSSISCHENBÄUERINI
STDASVIELLEICHTNICHTSEHRVIELDENNSIESOLLINSGESAMT
69KINDERGEHABTHABENALLERDINGSKAMENFASTALLEIHRE
KINDERALSVIERLINGEDRILLINGEODERZWILLINGEAUFDIEWEL
TMANWEISSNICHTWIEVIELEVONIHNENÜBERLEBTEN

Setzen Sie ein.

halb heiß hing in Jahren keinen Kellner Konzert
Künstlerin Linie Mann Messe Moment Nacht Ober
Patient ~~Qualität~~ Reparatur Scheck sehen

1. _Qualität_ hat ihren Preis! Aber unsere Waren sind Spitze!

2. Zahlen Sie mit _____ oder bar?

3. Darauf kommt es jetzt in erster _____ an.

4. Vorsicht, der Kaffee ist ganz _____!

5. Sei doch mal einen _____ still!

6. Mein _____ ist verstorben. Ich bin Witwe.

7. Nein, danke! Ich trinke _____ Alkohol.

8. Der Mechaniker hat 90 Mark für die _____ genommen.

9. Der _____ bringt Ihnen sofort die Speisekarte.

10. Der _____ wurde aus der Klinik entlassen.

11. Gerade _____ hier noch die Jacke. Jetzt ist sie weg.

12. Herr _____, die Getränkekarte bitte!

13. Ohne dich wäre die Reise nur _____ so schön gewesen.

14. Die _____ stellte ihre neusten Werke vor.

15. Sie ist schon seit 25 _____ Mitglied in dem Verein.

16. Die katholische _____ beginnt schon frühmorgens.

17. In ihrem Zimmer war die ganze _____ das Licht an.

18. Er lebt ____ der Schweiz.

19. Zu spät! Er hat nur noch den Zug abfahren _____.

20. Für das _____ von Mozart gibt es noch Karten.

Finden Sie waagerecht oder senkrecht 21 Begriffe
zum Thema Körperpflege.

R	A	S	I	E	R	K	L	I	N	G	E	P
W	A	S	C	H	L	A	P	P	E	N	X	A
L	C	T	G	D	P	F	L	A	S	T	E	R
I	Z	A	H	N	B	Ü	R	S	T	E	M	F
P	S	S	C	H	W	A	M	M	Z	Q	U	Ü
P	P	C	**S**	**C**	**H**	**E**	**R**	**E**	B	W	N	M
E	I	H	P	U	D	E	R	S	Ü	A	D	S
N	E	E	M	C	R	E	M	E	R	T	W	H
S	G	N	Z	A	H	N	P	A	S	T	A	A
T	E	T	K	A	M	M	N	B	T	E	S	M
I	L	U	W	F	S	E	I	F	E	B	S	P
F	E	C	P	I	N	Z	E	T	T	E	E	O
T	P	H	A	N	D	T	U	C	H	M	R	O

Finden Sie die logische Entsprechung.

atmen Badehose dividieren gefährlich Gummi Hass ~~Häuser~~
Nachteil   Nebensache   Osten   Rock   Schwäche   singen
Stewardess   Strom   Teufel   Ungarn   viele   Verlust   Wahrheit

1. Wald : Bäume = Stadt : _Häuser_____
2. Tankstelle : Benzin = Steckdose : _____
3. Anzug : Hose = Kostüm : _____
4. Glück : Pech = Gewinn : _____
5. addieren : subtrahieren = multiplizieren : _____
6. Ehering : Gold = Autoreifen : _____
7. Frieden : Krieg = Liebe : _____
8. Himmel : Hölle = Gott : _____
9. Macht : Ohnmacht = Stärke : _____
10. Sicherheit : Gefahr = sicher : _____
11. falsch : richtig = Lüge : _____
12. Minderheit : Mehrheit = wenige : _____
13. gut : schlecht = Vorteil : _____
14. wichtig : unwichtig = Hauptsache : _____
15. links : rechts = Westen : _____
16. Geschichte : erzählen = Lied : _____
17. Nahrung : essen = Luft : _____
18. Frau : Mann = Badeanzug : _____
19. Warschau : Polen = Budapest : _____
20. Urlaub : Reiseleiterin = Flugzeug : _____

ab am Arme Ausdruck bat Berufung Bruder da ~~Du~~
Rauchen Sind Spiel Stadt Straße Tat Tor Trinken Unfalls
Wer wiederholt

1. <u>Du</u> solltest dich mal rasieren.

2. _____ hat den ersten Preis gewonnen? Ein Deutscher?

3. _____ Maria! Du tust mir so Leid! Du bist wirklich arm dran.

4. _____ Sie denn noch nicht fertig?

5. Der Fußball flog ins _____.

6. _____ Sie ein Glas Wein mit uns?

7. Ich bin der _____ meiner Schwester.

8. Ich habe gehört, dass Heidelberg eine schöne _____ ist.

9. Ich lade Paul ____ Sonntag zum Mittagessen ein.

10. Schach ist ein ganz bekanntes _____.

11. Der Angeklagte verzichtete darauf, _____ einzulegen.

12. Der Bettler _____ um etwas Geld.

13. Der _____ aus dem Laserdrucker sah perfekt aus.

14. _____ Sie Pfeife oder Zigarren?

15. Dort an der Ampel kannst du über die _____ gehen.

16. Er half ihr mit Rat und _____.

17. Er schreibt die Matheaufgabe vom Nachbarn ____.

18. Er _____ die Frage.

19. Es klingelt: „Wer ist ____, bitte?"

20. Auf der A3 ist wegen eines _____ ein Stau von 5 km.

Setzen Sie die Sätze in die richtige Reihenfolge.

◯ Da antworten ihm die Männer:

◯ Er fragt die beiden, warum sie das so machen.

◯ Einer von beiden schaufelt ein Loch.

① Auf der Straße arbeiten zwei Männer.

◯ „Der steckt die Laternen in die Löcher, aber heute ist er krank."

◯ „Wir sind normalerweise zu dritt."

◯ Da kommt ein Spaziergänger und sieht die beiden.

◯ „Und was macht der Dritte?" will der Spaziergänger wissen.

◯ Aber der zweite schaufelt es sofort wieder zu.

◯ Das wiederholt sich immer wieder.

Setzen Sie ein.

als   an   Berlin   Bundesländer   Bundesrepublik   Bürger
Chemikalien   Deutsche   erkämpft   exportiert   Einwohner
Ende   Entfernung   für   größte   heutigen   Jahr   ~~mitten~~
München   Niederlande   Norden   Osten   Österreich
Staaten   ungefähr   vor   Vereinigung   Weltkrieg   zählen   zwei

Einige Informationen über Deutschland

Deutschland liegt _mitten_ in Europa und grenzt ____ neun

europäische _____. Diese sind Dänemark, Polen, Tschechien,

_____, die Schweiz, Frankreich, Luxemburg, Belgien und die

_____. Von _____ nach Süden beträgt die _____

875 Kilometer. In Deutschland leben _____ 80 Millionen

_____. Vor dem Zweiten _____ war Deutschland um ein

Drittel größer ____ heute. Von 1949 bis 1990 existierten _____

deutsche Staaten: die _____ Deutschland im Westen und die

_____ Demokratische Republik im _____. Im _____

1989 haben die _____ der DDR in einer friedlichen Revolution

die _____ der beiden deutschen Staaten _____.

So wurde Deutschland 45 Jahre nach dem _____ des Zweiten

Weltkriegs endlich wiedervereinigt. Im _____ Deutschland gibt

es 16 _____. Die Hauptstadt und gleichzeitig die _____

Stadt Deutschlands ist _____ mit über 4 Millionen Einwohnern.

Zu den Millionenstädten _____ aber auch Hamburg und

_____. Deutschland _____ viele Produkte. Bekannt ist

Deutschland _____ allem durch Maschinen, Autos, _____,

Produkte _____ die Umwelt und Elektrogeräte.

Setzen Sie ein.

> einen er Essen Fest Freund geblieben gern Gramm
> Hand ~~Hochzeit~~ ~~Ihnen~~ ins Job Kino Krankheit lasse
> Lust Maschine Milch was

1. Darf ich mich zu _Ihnen_ setzen?

2. Das Kind ist zwei Monate und _____ Tag alt.

3. In diesem _____ werden meistens gute Filme gezeigt.

4. Dazu habe ich keine _____. Das gefällt mir nicht.

5. Ich _____ mir heute die Haare schneiden.

6. Ich bin _____ bereit, dir zu helfen.

7. Ich suche einen neuen _____. Vielleicht als Taxifahrer.

8. Schau mal her, _____ ich kann! Kopfstand!

9. Mein Mann? Ich weiß nicht, ob ____ mir treu ist.

10. Wenn ich 50 Jahre alt werde, feiern wir ein großes _____.

11. Heute gehen wir _____ Kino.

12. Die _____ ist pünktlich gelandet.

13. Die beiden wollen ihre _____ im besten Hotel feiern.

14. Wir sind lange im Café sitzen _____.

15. Der Dealer wurde mit 500 _____ Heroin gefasst.

16. Meine Frau kocht immer leckeres _____.

17. Emil ist ein alter _____ von mir. Ich mag ihn sehr.

18. Mit einem Revolver in der _____ bedrohte er mich.

19. Er leidet an einer schweren _____.

20. Stellst du bitte die _____ in den Kühlschrank?

Silbenrätsel: Finden Sie die Länder zu den Hauptstädten.

Beispiel: Berlin > DEUTSCH-LAND

A-BEL-BRI-BUL-CHEN-CHI-DÄ-DEN-EN-EN-EN-EN-EN-EN-EN-
EN-EN-FRANK-GA-GAL-GARN-GEN-GI-GOS-GRIE-GROSS-I-JU-
KRO-LA-LAND-LAND-LEN-LI-MARK-MÄ-NE-NI-NI-NI-NOR-Ö-
PO-POR-REICH-REICH-RI-RU-RUSS-SCHWE-SCHWEIZ-SPA-
STER-TA-TAN-TI-TSCHE-TU-UN-WE-WI

1. Brüssel   _____

2. Sofia   _____

3. Kopenhagen   _____

4. Paris   _____

5. Athen   _____

6. London   _____

7. Rom   _____

8. Belgrad   _____

9. Zagreb   _____

10. Oslo   _____

11. Wien   _____

12. Warschau   _____

13. Lissabon   _____

14. Bukarest   _____

15. Moskau   _____

16. Stockholm   _____

17. Bern   _____

18. Madrid   _____

19. Prag   _____

20. Budapest   _____

Finden Sie waagerecht oder senkrecht 30 Kleidungsstücke.

Q	Z	W	Z	C	H	O	S	E	N	T	R	Ä	G	E	R
K	M	P	S	C	H	U	H	P	U	L	L	O	V	E	R
O	Ü	S	A	N	D	A	L	E	M	A	N	T	E	L	A
P	T	D	**S**	**T**	**R**	**U**	**M**	**P**	**F**	**H**	**O**	**S**	**E**	X	N
F	Z	L	H	U	T	B	U	K	Y	A	H	B	S	K	Z
T	E	S	P	Y	P	L	N	L	U	N	S	Ü	C	N	U
U	N	C	Z	F	K	U	T	E	R	D	O	S	H	G	G
C	P	H	T	L	U	S	E	I	I	S	C	T	A	Ü	A
H	C	L	S	S	J	E	R	D	I	C	K	E	L	R	K
S	A	A	T	C	A	M	H	V	S	H	E	N	M	T	O
L	R	F	I	H	C	H	E	M	D	U	N	H	I	E	S
I	Z	A	Ü	K	L	M	F	J	H	Q	A	L	L	T
P	W	N	F	R	E	R	D	H	O	S	E	L	A	U	Ü
I	Q	Z	E	Z	T	L	K	R	A	W	A	T	T	E	M
N	E	U	L	E	T	R	O	C	K	I	L	E	V	A	B
Q	J	G	O	W	E	S	T	E	V	Q	I	R	V	A	I

Setzen Sie ein.

ab   Ampel   Arme   Ausfahrt   Bau   Musik   ohne   Plätze
Recht   Richter   Ruhe   Schneiderei   ~~Seit~~   so   statt   Suppe
Theater   Uhr   Verspätung   war

1. __Seit__ wann sind Sie bei dieser Firma beschäftigt?

2. Der Zug hatte eine halbe Stunde _____.

3. Fahren Sie die nächste _____ von der Autobahn ab.

4. Der _____ verurteilte ihn zu zwei Jahren Gefängnis.

5. Meine _____ tun mir weh. Ich kann nichts mehr tragen.

6. Gestern war ich im _____. Man spielte den 'Faust'.

7. Die Segelregatta findet jedes Jahr in Kiel _____.

8. Die Vorstellung beginnt Punkt 20 _____.

9. Die _____ sprang auf Rot, aber das Taxi fuhr weiter.

10. Sie arbeitet als Näherin in einer _____.

11. Willst du noch einen Teller _____? Die ist aufgewärmt.

12. Mir ist es hier zu laut. Ich brauche viel _____.

13. In den vorderen Reihen sind noch einige _____ frei.

14. In meiner Freizeit höre ich gern _____.

15. Er geht nie _____ seinen Hund spazieren.

16. Er hat sich zu _____ beschwert. Ich hätte das auch getan.

17. Er ist Maurer. Er arbeitet am _____.

18. Erst neulich _____ ich in der Oper.

19. Es klingelt, aber ich nehme den Hörer nicht ____.

20. Tu nicht ____ unschuldig!

Finden Sie die logische Entsprechung.

1. Bergmann : unten = Dachdecker : _oben_____
2. Soldat : General = Sekretärin : _____
3. Maler : malen = Musiker : _____
4. Benzin : Erdöl = Zigarren : _____
5. Hahn : krähen = Löwe : _____
6. Russland : russisch = Frankreich : _____
7. Spanien : spanisch = Portugal : _____
8. Frankreich : Staat = Paris : _____
9. Hund : Tier = Blume : _____
10. Strafe : Belohnung = Tadel : _____
11. verlieren : gewinnen = Niederlage : _____
12. Politik : politisch = Ökonomie : _____
13. Angestellter : Gehalt = Kind : _____
14. U-Bahn : Fahrgäste = Zoo : _____
15. Verein : Mitglieder = Tagung : _____
16. Zimmer : Stühle = Bus : _____
17. Schule : Stundenplan = Bahn : _____
18. Dorf : Stadt = Bach : _____
19. Ausländer : Visum = Autofahrer : _____
20. Radfahrer : Radweg = Fußgänger : _____

TEST 75 Setzen Sie ein.

1. <u>dick</u>   <u>dicker</u>   <u>am dicksten</u>

2. arm   _____   am _____

3. reich   _____   am _____

4. _____   _____   am höchsten

5. _____   älter   am _____

6. gut   _____   am _____

7. _____   _____   am nächsten

8. dunkel   _____   am _____

9. _____   _____   am teuersten

10. viel   _____   am _____

11. viele   _____   die _____

12. _____   lieber   am _____

Setzen Sie ein.

> aller am aus beliebtes Berge Deutsch fast Fläche
> Fremdenverkehr geboren grenzt hoch höchste Hauptstadt
> in Könige Millionen Ski Sommer Teil Tirol Ungarn
> wandern wichtigste wie Zu

Einige Informationen über Österreich

Wie _in_ Deutschland und dem größten _____ der Schweiz wird

auch in Österreich _____ gesprochen. Das Land _____

außerdem an die Länder Tschechien, Slowakei, _____,

Slowenien und Italien. Österreich besteht _____ neun Bundesländern:

Oberösterreich, Niederösterreich, Steiermark, _____,

Kärnten, Salzburg, Vorarlberg und Wien. Die _____ des Landes

ist nur etwa ein Viertel so groß _____ die der Bundesrepublik

Deutschland. Österreich hat über 7 _____ Einwohner.

Wien ist die _____. Früher herrschten hier die Kaiser und

_____ der Habsburger über Europa. _____ den berühmten

Städten gehören auch Salzburg, wo Mozart _____ wurde,

und Innsbruck _____ Inn. Österreich ist ein _____ Reiseziel

für Touristen aus _____ Welt, besonders aber für Deutsche.

Der _____ ist die _____ Einnahmequelle für das

Land. Im _____ kann man in den Alpen _____,

im Winter _____ fahren. Das Land hat 800 _____, die über

3000 Meter _____ sind. Der _____ Berg ist der

Großglockner; er ist _____ 3800 Meter hoch.

Setzen Sie die Buchstaben in die richtige Reihenfolge, um die Lösung zu finden.

1. ein großes Tier - [feEntal] der Elefant ___

2. etwas im Wohnzimmer - [eneeFrhrs] der _____

3. eine Blume - [eosR] die _____

4. etwas zu Trinken - [eiwseaMrarlsn] das _____

5. ein Möbelstück - [rncaSkh] der _____

6. etwas im Büro - [tporemuC] der _____

7. etwas auf dem Dach - [nneneAt] die _____

8. etwas an der Wand - [eaepTt] die _____

9. etwas zum Schneiden - [ceehSr] die _____

10. es kann fliegen - [euugzFgl] das _____

11. man hat es im Kofferraum - [rdeeveraRs] das _____

12. hier kann man telefonieren - [eoeelzelTfln] die _____

13. ein warmes Kleidungsstück - [rluvoePl] der _____

14. dort bucht man eine Reise - [rüRsboiee] das _____

15. dort besucht man Kranke - [hunreKsanka] das _____

16. man kann darauf reiten - [frdeP] das _____

17. ein gefährliches Tier - [ncelShag] die _____

18. man kann damit schreiben - [euhbsrelrKegci] der _____

19. man braucht es zum Lesen - [lreBil] die _____

20. ein Spiel - [acchSh] _____

Stimmt das?

1. Eine Stunde hat dreitausendsechshundert Sekunden. _ja_ _
2. Hamburg liegt am Rhein. _nein_
3. Deutschland grenzt an 9 Länder. _____
4. Eine Spinne hat 6 Beine. _____
5. Mozart wurde in Salzburg geboren. _____
6. Goethe und Schiller waren Freunde. _____
7. Die Alpen liegen im Norden Deutschlands. _____
8. Die Hauptstadt der Schweiz ist Genf. _____
9. In Österreich leben Giftschlangen und Wölfe. _____
10. Die meisten Ausländer in Deutschland sind Türken. _____
11. Die Berliner Mauer fiel im Jahre 1989. _____
12. Eine Fußballmannschaft besteht aus 10 Spielern. _____
13. Der Zweite Weltkrieg begann 1945. _____
14. Mein Neffe ist die Tochter meiner Schwester. _____
15. Ca. 100 Millionen Menschen sprechen Deutsch als Muttersprache. _____
16. Österreich besteht aus Kantonen. _____
17. Drei Länder grenzen an den Bodensee. _____
18. Die Deutschen landeten als erste Menschen auf dem Mond. _____
19. An den Autobahnen stehen viele Ampeln. _____
20. Eine Ratte ist größer als eine Maus. _____

Finden Sie die logische Entsprechung.

1. Buchhandlung : Bücher = Optiker : _Brillen_____

2. Jacke : Kleidung = Sofa : _____

3. Bäckerei : Bäcker = Frisiersalon : _____

4. tauchen : Wasser = fliegen : _____

5. Sessel : sitzen = Bett : _____

6. Fuß : Schuh = Hand : _____

7. Teppich : Boden = Bild : _____

8. Kaffee : Tasse = Wein : _____

9. Hose : Slip = Hemd : _____

10. Eisen : Metall = Sauerstoff : _____

11. Kissen : weich = Fußboden : _____

12. Löwe : Raubtier = Katze : _____

13. Parkhaus : parken = Villa : _____

14. groß : klein = Riese : _____

15. Brüssel : Belgien = Athen : _____

16. Lamm : Schaf = Fohlen : _____

17. Brunnen : tief = Wolkenkratzer : _____

18. Stift : schreiben = Taschenrechner : _____

19. Geschmack : schmecken = Geruch : _____

20. Mittwoch : Tag = Juli : _____

Was passt zusammen?

Bilden Sie Sprichwörter oder Redensarten.

1. Wo kein Kläger ist,	a) als die Taube auf dem Dach.
2. Einem geschenkten Gaul	b) da ist auch kein Richter.
3. Besser den Spatz in der Hand	c) der Faule fleißig.
4. Vögel, die am Morgen singen,	d) der nicht gewinnt.
5. Der Krug geht so lange	e) fängt am Abend die Katze.
6. Am Abend wird	f) freut sich der Dritte.
7. Wer nicht wagt,	g) schaut man nicht ins Maul.
8. Was ich nicht weiß,	h) kurze Beine.
9. Wenn zwei sich streiten,	i) macht mich nicht heiß.
10. Lügen haben	j) zum Brunnen, bis er bricht.

11. Wer den Schaden hat, braucht	a) dann hast du in der Not.
12. Alte Liebe	b) den bestraft das Leben.
13. Man soll den Tag	c) für den Spott nicht zu sorgen.
14. Wenn die Katze weg ist,	d) Gold im Mund.
15. Morgenstund' hat	e) ernten die dicksten Kartoffeln.
16. Spare in der Zeit,	f) kommt Rat.
17. Wer zu spät kommt,	g) lernt Hans nimmermehr.
18. Die dümmsten Bauern	h) nicht vor dem Abend loben.
19. Kommt Zeit,	i) rostet nicht.
20. Was Hänschen nicht lernt,	j) tanzen die Mäuse auf dem Tisch.

Finden Sie die logische Entsprechung.

> Abfahrt   Ausnahme   Belohnung   Gefühl   gewinnen
> Kopf   kriechen   Lied   modern   oft   Regen   Rennwagen
> Scheidung   schriftlich   Schwamm   spannend   Spaß   verbieten
> vorgestern   Zimmer

1. Liebe : Ende = Ehe : __Scheidung_____
2. morgen : gestern = übermorgen : _____
3. Walzer : Rockmusik = altmodisch : _____
4. fest : flüssig = Schnee : _____
5. Schuh : Fuß = Hut : _____
6. ja : nein = erlauben : _____
7. Gebäude : Etagen = Wohnung : _____
8. nie : selten = immer : _____
9. normal : unnormal = Regel : _____
10. Schläge : Schokolade = Strafe : _____
11. Flugzeug : Jet = Auto : _____
12. Schiff : Flotte = Fisch : _____
13. Arbeit : Ernst = Spiel : _____
14. sagen : schreiben = mündlich : _____
15. kommen : fahren = Ankunft : _____
16. Frosch : hüpfen = Schlange : _____
17. Kopf : Herz = Verstand : _____
18. Unterricht : Kriminalroman = langweilig : _____
19. Ärger : Freude = verlieren : _____
20. Vers : Gedicht = Strophe : _____

ab Art Ausgang Bauer Blitz Buch dafür dem Dieser
Ecke eingebildet Einzelheiten erhält Fachleuten Firmen
fließt Fühlen Gedeck Wen zur

1. _Wen_ willst du so spät in der Nacht besuchen?

2. _____ Punkt erscheint mir besonders wichtig.

3. „_____ Sie sich heute besser?" fragte der Arzt.

4. Nähere _____ werden noch bekanntgegeben.

5. Der Baum wurde von einem _____ getroffen.

6. Der Bus, in _____ wir sitzen, fährt zum Bahnhof.

7. Der _____ hat noch ein Stück Land gekauft.

8. Herr Ober, bitte noch ein _____! Es kommt noch jemand.

9. Sie treffen sich im Lokal an der _____, dort bei der Kreuzung.

10. Dieses _____ ist von Thomas Mann.

11. Einen Apfel klauen? _____ kann er nicht bestraft werden.

12. Wir treffen uns im Gasthaus ‚_____ Krone'.

13. In den _____ werden immer mehr Computer eingesetzt.

14. Die Donau _____ durch Wien.

15. Wo ist denn hier der _____? Ich will raus!

16. Löst du mich mal bei der Arbeit ____?

17. Er ist arrogant! - Ja, er ist leider ziemlich _____.

18. Er _____ vielleicht dieses Jahr den Nobelpreis.

19. Es fehlt an gut qualifizierten _____.

20. Auf diese _____ erreichst du bei ihm gar nichts. Sei netter zu
    ihm!

TEST 83 Finden Sie die logische Entsprechung.

aussteigen Bauernhof Bürgermeister duften explodieren Faden Geschäft Küche Kunst Nähe Pfanne ~~schön~~ stehlen Stein täglich verheiratet Volk Wein Wirkung Zahnbürste

1. Spinne : hässlich = Schmetterling : _schön_____
2. Feuer : Asche = Ursache : _____
3. Fenster : Wohnung = Schaufenster : _____
4. Zaun : Holz = Mauer : _____
5. Knoblauch : stinken = Parfüm : _____
6. Eltern : Kinder = Regierung : _____
7. Bierbrauer : Bier = Winzer : _____
8. hinein : hinaus = einsteigen : _____
9. fern : nah = Ferne : _____
10. Fußboden : Besen = Zähne : _____
11. Glas : zerspringen = Bombe : _____
12. Junggeselle : Ehemann = ledig : _____
13. schlafen : kochen = Schlafzimmer : _____
14. Illustrierte : Tageszeitung = wöchentlich : _____
15. Unternehmer : Fabrik = Bauer : _____
16. Hammer : Nagel = Nadel : _____
17. Staat : Präsident = Stadt : _____
18. Räuber : rauben = Dieb : _____
19. Kartoffeln : Bratkartoffeln = Topf : _____
20. Politiker : Politik = Künstler : _____

Finden Sie die logische Entsprechung.

1. Niere : Organ = Orgel : _Musikinstrument_
2. Zucker : süß = Salz : _____
3. Auto : Hupe = Fahrrad : _____
4. Lissabon : Portugal = Kopenhagen : _____
5. Hammer : Nagel = Schraubenzieher : _____
6. Huhn : Kücken = Kuh : _____
7. Kino : Leinwand = Theater : _____
8. Boxen : Handschuh = Tennis : _____
9. Zigarette : Aschenbecher = Müll : _____
10. Mund : Serviette = Po : _____
11. Haus : Hausnummer = Stadt : _____
12. grün : losfahren = rot : _____
13. Haus : Zimmer = Zug : _____
14. Orchidee : Regenwald = Kaktus : _____
15. Mozart : Musik = Picasso : _____
16. Kuli : schreiben = Messer : _____
17. Rätsel : erraten = Problem : _____
18. Kälte : Klimaanlage = Wärme : _____
19. Lampe : Schalter = Aufzug : _____
20. großzügig : geizig = reich : _____

Verändern Sie immer nur einen Buchstaben.

1. Sie trägt einen Rock - er trägt eine ... H O S E

2. Eine schöne Blume ... . O S E

3. Man findet es an altem Eisen ... . O S .

4. Wer zu schnell fährt, der ... . . S T

5. Wer zu Besuch kommt, ist ein ... . A S .

6. Ein anderes Wort für 'beinahe' ... . . S T

7. Eine Feier mit vielen Menschen ist ein ... F . . T

8. Eine kurze schriftliche Prüfung ist ein ... . E . T

9. Viele Vögel bauen sich ein ... . E S .

10. Wer freundlich und sympathisch ist, ist ... . E . T

11. Fische fängt man mit der Angel oder einem ... N E . .

12. Warum stehst du? Nimm Platz! ... dich doch! . E T .

13. Im Auto sitzt man auf einem ... . . T Z

14. Viele Wörter bilden einen ... . . T Z

Finden Sie waagerecht oder senkrecht 26 Gemüsesorten.

Z	S	R	B	P	E	T	E	R	S	I	L	I	E	B
K	A	R	T	O	F	F	E	L	N	S	E	B	P	K
K	L	I	A	Z	A	Z	I	B	K	P	R	O	I	N
O	A	H	R	N	U	W	**S**	L	A	A	B	H	L	O
H	T	G	T	R	B	I	**C**	U	R	R	S	N	Z	B
L	O	U	I	A	E	E	**H**	M	O	G	E	E	E	L
R	B	R	S	D	R	B	**N**	E	T	E	N	N	S	A
A	R	K	C	I	G	E	**I**	N	T	L	L	G	V	U
B	O	E	H	E	I	L	**T**	K	E	K	O	H	L	C
I	C	N	O	S	N	N	**T**	O	N	Y	Q	N	O	H
D	C	I	C	C	E	U	**L**	H	S	P	I	N	A	T
R	O	N	K	H	N	H	**A**	L	O	L	I	V	E	N
U	L	T	E	E	C	Q	**U**	T	O	M	A	T	E	N
A	I	T	N	N	Z	U	**C**	C	H	I	N	I	S	J
G	E	W	Ü	R	Z	E	**H**	P	A	P	R	I	K	A

Abendessen allein ~~Antwort~~ ausruhen Begrüßung euer Freiheit Knochen leise Misserfolg Papst Prinzessin Rahmen Schiedsrichter Schuld sinken Uniform vertraut Zinsen Zukunft

1. zuerst : Frage = danach : **Antwort**
2. See : Ufer = Bild : _____
3. Ende : Verabschiedung = Beginn : _____
4. Glück : Pech = Erfolg : _____
5. Arbeit : arbeiten = Pause : _____
6. Ehe : Kinder = Kapital : _____
7. Vater : Tochter = König : _____
8. Unbekannter : Freund = fremd : _____
9. Gruppe : Individuum = zusammen : _____
10. hinten : vorn = Vergangenheit : _____
11. mein : dein = unser : _____
12. rufen : flüstern = laut : _____
13. gefangen : frei = Gefängnis : _____
14. Gericht : Richter = Fußballspiel : _____
15. früh : spät = Frühstück : _____
16. Clown : Kostüm = Soldat : _____
17. Opfer : Täter = Unschuld : _____
18. Unternehmen : Generaldirektor = Kirche : _____
19. Fisch : Gräten = Mensch : _____
20. Kosten : steigen = Gewinne : _____

Setzen Sie ein.

Ampeln Auskunft Baum Besuch Bluse Bus Damen
Dieses fern gelacht gilt Insel Skifahrer Städte Teppich
Türkei um verbessert ~~vor~~ wog

1. 7.45 Uhr = Viertel _vor_ acht.
2. Sein Partner hat ihn _____ 10 000 Euro betrogen.
3. _____ Haus gehört mir.
4. Tante Olga kommt morgen zu _____ zu uns.
5. Ein Stück Land im Meer ist eine _____.
6. Wir haben viel über seine Witze _____.
7. Meine _____ und Herren!
8. Der Lehrer _____ den Fehler.
9. Der Verkehr wird durch _____ geregelt.
10. Der Vogel flog auf einen _____.
11. Der _____ fährt nur bis zum Hauptbahnhof.
12. Der _____ ist handgeknüpft. Leider von Kindern.
13. Siehst du heute Abend _____? – Nein, mein Fernseher ist kaputt.
14. Berlin und Paris sind europäische Haupt_____.
15. Die Alpen sind ein Paradies für _____.
16. An der Information gab man mir eine falsche _____.
17. Sie kommt aus der _____, aus Ankara.
18. Diese Fahrkarte _____ nur eine Stunde, dann musst du eine neue kaufen.
19. Diese _____ passt nicht zu dem Rock.
20. Als sie sich auf die Waage stellte, _____ sie 100 Kilo.

Finden Sie die logische Entsprechung.

> Aquarium arbeitslos Bettler billig Blut Deckel ~~Dirigent~~
> Feuerwehr Kugel langsam lernen Lohn Mangel Rakete
> Regal Republik Schreibtisch Spätschicht Telefonnummer
> Urlaub

1. Klasse : Lehrer = Orchester : _Dirigent_____

2. Wohnung : obdachlos = Arbeit : _____

3. Verbrechen : Polizei = Brand : _____

4. England : Monarchie = Frankreich : _____

5. Lunge : Luft = Herz : _____

6. viel : wenig = Überfluss : _____

7. Kirche : beten = Schule : _____

8. Rechtsanwalt : Honorar = Arbeiter : _____

9. morgens : abends = Frühschicht : _____

10. Schüler : Ferien = Erwachsene : _____

11. Flasche : Korken = Topf : _____

12. Gold : Plastik = teuer : _____

13. Brief : Adresse = Telefon : _____

14. Bogen : Pfeil = Gewehr : _____

15. Taxifahrer : Taxi = Astronaut : _____

16. Löwe : Käfig = Fisch : _____

17. Gepard : schnell = Schnecke : _____

18. reich : arm = Millionär : _____

19. Essen : Küchentisch = Computer : _____

20. Kleidung : Schrank = Bücher : _____

Setzen Sie ein.

absolut   Bier   Eis   erst   Fahrrad   für   gehängt   gewünscht
Hause   hin   ~~In~~   Jahreszeit   Kiel   Kosten   Lampe   Loch
marke   Miete   Museum   unterschreiben

1. <u>In</u> der Lüneburger Heide machen wir Urlaub.
2. Ich bin _____ nicht einverstanden.
3. _____ ist die Landeshauptstadt von Schleswig-Holstein.
4. Jan arbeitet _____ eine ausländische Firma.
5. Man hat ein _____ gebohrt, um nach Öl zu suchen.
6. Die _____ leuchtet nicht hell genug.
7. Bitte _____ Sie den Vertrag hier unten.
8. Ich habe den Mantel an den Haken _____.
9. Ich habe ihm zum Geburtstag alles Gute _____.
10. Ich komme nicht schon um acht, sondern _____ um neun.
11. Meine _____ ist zu hoch, ich ziehe um.
12. Der Professor ging nachdenklich im Raum _____ und her.
13. ‚Mercedes‘ ist eine gute Auto_____.
14. Die _____ übersteigen unsere finanziellen Möglichkeiten.
15. Sie fährt jeden Morgen mit dem _____ zur Arbeit.
16. Das Lieblingsgetränk der Bayern ist _____.
17. Willst du ein gemischtes _____ mit Sahne?
18. Im Deutschen _____ gibt es viele technische Raritäten.
19. Komisch! Sonst ist er um diese Zeit immer zu _____.
20. Der Sommer ist in Europa die wärmste _____.

105

¹F	L	²I	E	³S	⁴S	⁵E	N	⁶D		⁶	|⁷	|⁸
⁹					¹⁰					¹¹	
¹²		¹³					¹⁴				
						¹⁵					
¹⁶				¹⁷					¹⁸		
			¹⁹								
²⁰								²¹			
							²²				
²³		²⁴			²⁵						²⁶
				²⁷							
²⁸			²⁹				³⁰		³¹		
³²				³³							

WAAGERECHT

1 Sie ist fast perfekt. Sie spricht f******** Chinesisch.

6 Ein Kilo hat 1000 G****.

9 Ein anderes Wort für ‚schnell' ist ‚r****'.

10 Der Zug fährt heute ausnahmsweise von G**** 17 ab.

11 Das Kind ist *** Wasser gefallen.

12 Gibt es Gott? Viele glauben nicht an seine E*******.

14 Ein anderes Wort für ‚b*****' ist ‚fast'.

16 Ich besuche einen K***, um in der Gruppe Englisch zu lernen.

17 Sie produziert Kunstwerke. Sie ist eine große K*********.

20 Es ist gut, nach langer Autofahrt eine Pause e*********.

21 Was war zuerst da? Das H*** oder das Ei?

23 Spaghetti sind lange N*****.

25 F*******, Gleichheit, Brüderlichkeit waren Ziele der Revolution.

28 Mit der Hochzeit beginnt die E**.

29 Die Abkürzung für Kriminalroman heißt K****.

30 Wenn ich Geld h****, würde ich um die Welt reisen.

32 Der 8. Mai 1945 war das D**** der Kapitulation Deutschlands.

33 Als sie die Spinne sah, verließ sie s******** das Zimmer.

SENKRECHT

1 Gelb ist eine F****.

2 I** und trink, es gibt genug!

3 Ein Dach bietet S***** vor Regen.

4 Ein anderes Wort für ‚Besitzer' heißt ‚E*********'.

5 Eins, zwei, d***.

6 Der Polizist hat mir ein paar Fragen g*******.

7 Der größte Kontinent ist A****.

8 Die M******** nehmen uns die körperliche Arbeit ab.

13 Grüßen Sie bitte I**** Mann von mir!

15 In Ö********* spricht man auch Deutsch.

16 Ich habe nur einen großen Schein, aber kein K********.

18 Das Schloss hat viele große R**** mit schönen Möbeln.

19 Das P******* lachte und klatschte.

22 Die Tochter meiner Schwester ist meine N*****.

24 Der Wind d**** nach Norden.

26 Eine neue Mode nennt man ‚T****'.

27 Gute Ratschläge nennt man ‚T***'.

31 Der *** muss ein paar Minuten ziehen.

Setzen Sie die Sätze in die richtige Reihenfolge.

◯ Otto freut sich auf den Schatz und kauft sich einen Spaten.

◯ „Und jetzt geht mir die Nudelsuppe nicht mehr aus dem Kopf!"

◯ Plötzlich wirft er den Spaten weg und flucht:

◯ In der ersten Vollmondnacht fängt er zu graben an.

◯ Sie schaut lange in eine Kugel und sagt dann zu Otto:

◯ „Sie werden reich sein, wenn Sie genau das tun, was ich sage."

◯ „Wenn Sie beim Graben aber an Nudelsuppe denken, finden Sie nichts."

◯ „Gehen Sie dann um Mitternacht auf den alten Friedhof."

◯ „Der liegt ein paar Meter unter der Erde."

◯ „Verdammt! Im ganzen Leben habe ich nie an Nudelsuppe gedacht."

◯ „Warten Sie, bis wir eine klare Vollmondnacht haben."

◯ „Nehmen Sie einen Spaten mit und graben Sie nach einem Schatz."

① Otto will seine Zukunft erfahren und geht deshalb zu einer Wahrsagerin.

Setzen Sie die Sätze in die richtige Reihenfolge.

◯ Da zieht der Cowboy seinen Revolver und schießt auf die Männer.

◯ Er sagt: „Den da hab' ich gemeint."

◯ Elf davon fallen sofort um.

◯ „Und was ist mit dem?" will sein Freund wissen.

① Ein Cowboy betritt mit seinem Freund eine Kneipe.

◯ „Den kann ich auf den Tod nicht leiden."

◯ Aber an der Bar stehen schon zwölf Männer.

◯ Der Cowboy zeigt auf einen und fragt: „Siehst du den da drüben?"

◯ Dann zeigt er auf den, der übrig geblieben ist.

◯ Er will mit ihm ein paar Gläser Whisky trinken.

◯ „Ich weiß nicht, welchen du meinst", antwortet sein Freund.

TEST 94 Setzen Sie ein.

ab Amt Artikel Ausland Beamte gesehen nieder Onkels
Polizei Regal Sache Schreibtisch ~~Setzen~~ Sommer
Stellung Tage tot und weh zur

1. _Setzen_ wir uns auf die Terrasse! Da ist es gemütlicher.

2. Warte, ich nehme dir das schwere Paket ____.

3. Die Bücher stehen im _____.

4. Das Kind war schon vor der Geburt _____.

5. Das gehört nicht zum Thema. Das gehört nicht zur _____.

6. Ich bekam das Visum erst zwei _____ vor meiner Reise.

7. Ich bin der Neffe meines _____.

8. Ich sitze am _____ und will dir schreiben.

9. Der Generalsekretär musste von seinem _____ zurücktreten.

10. Der Polizei_____ wollte meine Papiere sehen.

11. Der _____ war ziemlich heiß. Der Winter umso kälter.

12. Der _____ erschien unter folgender Überschrift: ...

13. Die Katze fraß die Maus mit Haut _____ Haar.

14. Ein Überfall! Rufen Sie bitte die _____!

15. Ein starker Regen ging _____.

16. Wir fahren in jedem Urlaub ins _____.

17. Hast du auch den Film _____?

18. Er geht _____ Universität. Er studiert.

19. Zu diesem Punkt wollte er nicht _____ nehmen.

20. Tut dir der Hals _____? Nimm eine Halstablette!

Setzen Sie ein.

Ausländer bekannt Bern chemische danach des Deutsch
~~europäischen~~ exportiert gibt größten Gipfel halb
Herstellung ist Metern Nordosten Österreich spricht
steigen Schokolade Seen Sprachen Unter Urlaub
wird zweiter

Einige Informationen über die Schweiz

Die Schweiz ist eines der kleinsten _**europäischen**_ Länder.

Das Land in den Alpen ist nur _____ so groß wie _____.

Es ____ in 23 Kantone unterteilt. Seine Hauptstadt ist _____,

aber die größte Stadt ist Zürich. Man _____ in der Schweiz vier

_____. Die meisten Einwohner sprechen _____ als

Muttersprache (69%). An _____ Stelle folgt Französisch (18%),

_____ Italienisch (12%). Romanisch _____ nur von einem

Prozent gesprochen. _____ den 6,5 Millionen Einwohnern _____

es über eine Million _____. International _____ ist

die Schweiz durch die _____ von Käse, Uhren und

_____. Aber vor allem Arzneimittel, _____ Produkte

und Maschinen werden _____. Wenn Sie gern auf Berge

_____, sollten Sie Ihren _____ in der Schweiz ver-

bringen. Sieben _____ haben eine Höhe von über 4000 _____.

Natürlich laden auch die vielen _____ zum Wassersport ein.

Die _____ sind der Bodensee im _____ und der

Genfer See im Südwesten _____ Landes.

Ordnen Sie diesen Redensarten die richtigen Bedeutungen zu.

1. er hat einen Vogel

2. er hat sich verknallt

3. er wirft alles in einen Topf

4. er malt den Teufel an die Wand

5. er macht sich auf die Socken

6. er spielt ihm einen Streich

7. er lässt sie im Stich

8. er macht sich aus dem Staub

9. er hilft ihr auf die Sprünge

10. er dreht den Spieß herum

a) er macht keine Unterschiede

b) er geht los

c) er ist verliebt

d) er ist verrückt

e) er lässt sie mit einem Problem allein

f) er läuft davon

g) er macht sich einen Spaß mit ihm

h) er sagt, es passiert Schlimmes

i) er vertauscht die Rollen

j) er zeigt ihr, wie man das macht

Setzen Sie ein.

> Aschenbecher blutet Busfahrer Dank denn dir Ende
> fandest Formulare gar Geldes Glas Halbjahr helfen Hit
> Inhalt Job Kirche ~~schwanger~~ Zucker

1. Sie wird bald Mutter. Sie ist seit 4 Monaten _schwanger_.

2. Rauchen Sie? Brauchen Sie einen _____?

3. Hast du ein Taschentuch? Er _____ aus der Nase.

4. Ich danke _____ für deinen Brief.

5. Ich schaffe das nicht allein. Kannst du mir _____?

6. Nehmen Sie _____ und Milch in den Kaffee?

7. Der _____ des Gesprächs soll geheim bleiben.

8. Die Kartoffeln sind nach 30 Minuten _____.

9. Die _____ ist innen sehr schön. Das ist gotischer Stil.

10. Wie _____ du den Film? - Nicht so besonders.

11. Die ersten sechs Monate sind das erste _____.

12. Vielen _____ für Ihre Hilfe. - Gern geschehen!

13. Mit dem Lied ist er reich geworden. Das war ein _____!

14. Am Dienstag gehen die Ferien zu _____. Leider!

15. An dem _____ ist Lippenstift. Bringen Sie mir ein neues, bitte.

16. In den Semesterferien kriege ich meistens irgendeinen _____.

17. Wo bekomme ich die _____ für meine Anmeldung?

18. Er hat Rückenschmerzen. Er ist von Beruf _____.

19. Er hat sie nur des _____ wegen geheiratet.

20. Er kommt nicht, _____ es regnet in Strömen.

Ordnen Sie diesen Redensarten die richtigen Bedeutungen zu.

1. er ist im siebten Himmel

2. er ist ein Schürzenjäger

3. er schmiert ihr eine

4. er ist eine Schlafmütze

5. er ist sauer

6. er sitzt in der Patsche

7. er ist mit seinem Latein am Ende

8. er steht bei ihm in der Kreide

9. er legt das auf die hohe Kante

10. er bindet ihr einen Bären auf

a) er ist in einer schlechten Situation

b) er belügt sie

c) er gibt ihr eine Ohrfeige

d) er hat Schulden bei ihm

e) er ist böse oder hat schlechte Laune

f) er ist überglücklich

g) er ist verträumt und langweilig

h) er läuft jeder Frau hinterher

i) er spart das Geld

j) er weiß nicht mehr weiter

1. abfahren - [nmonaekm] _ankommen_
2. anfangen - [ruhnaefö]
3. angreifen - [etiiegndrve]
4. aufbauen - [öeestznrr]
5. befehlen - [ceeognrhh]
6. belohnen - [ateebfsrn]
7. bitten - [kanend]
8. bringen - [oenhl]
9. einschalten - [hulsetacsna]
10. einschlafen - [uwecahfan]
11. einsteigen - [gneussetia]
12. fragen - [ewrnattno]
13. gewinnen - [leeenrvri]
14. halbieren - [npdeeropvl]
15. kaufen - [keeunvfra]
16. kommen - [eeghn]
17. leben - [ternbes]
18. lieben - [sanesh]
19. loslassen - [ntatelefsh]
20. mieten - [eeemitnrv]
21. öffnen - [ceelshißn]
22. senden - [efmnngape]
23. suchen - [dninef]
24. verbieten - [nabrluee]
25. vertrauen - [etaissnmur]

TEST 100 Umlaute (Ä, Ö, Ü) = 1 Buchstabe

WAAGERECHT

1 Erst setzte sie sich, dann s**** sie wieder auf.

4 Was möchten Sie zum Fisch dazu? Kartoffeln, Nudeln oder R***?

7 Ich brauche Geld. Ich muss noch zur B***.

9 Er saß allein am Tisch und *** eine Suppe.

10 Diese Straße f**** nach Bremen.

11 Schon wieder ein Bier? Du sollst nicht so viel t******!

14 Sie *** einen guten Witz gemacht.

15 Wer verheiratet ist, trägt meistens einen R***.

16 Mittags hat sie ihr Kind vom Kindergarten a*******.

20 Eine Straße ist breit, aber eine Gasse ist e**.

22 Ein Waisenkind hat keine E***** mehr.

24 L*** dürfen am Wochenende nicht auf die Autobahn.

27 Hast ** gut geschlafen?

28 Du bist *** alter Esel!

30 Willst du das ** hart oder weich gekocht?

31 Leider geht alles einmal zu E***.

33 Die Mehrzahl von ‚Museum' heißt ‚M*****'.

34 Mir gefällt die A** und Weise, wie sie tanzt.

36 Hier nicht parken! A******* freihalten!

37 Kühe und Schafe fressen G***.

39 Nach dem Kaffee fühlte ich mich wieder f**.

41 Fahr l******, dort spielen Kinder auf der Straße!

44 Schach ist ein S****, bei dem man viel denken muss.

45 I** deine Suppe auf, sonst regnet es morgen!

47 Ein berühmter Filmschauspieler ist ein S***.

48 Statt Brötchen mit Honig esse ich lieber B*** mit Käse.

49 Um das Bild an die Wand zu hängen, brauche ich einen N****.

SENKRECHT

1 Er duscht s*** meistens morgens.

2 Wir haben viel zu tun. Die Firma hat einen großen A******
gekriegt.

3 Synonym für ‚dort hinten': d*******

4 R*** mal, was ich gekocht habe! Du wirst es nie raten!

5 ** wird im Sommer ziemlich heiß.

6 Mein Kind kann heute nicht zur Schule. Es *** krank.

7 Ich *** immer mit Ihrer Arbeit sehr zufrieden gewesen.

8 Das kann ich auch! Das ist keine K****!

12 Was sollen wir machen? Hast du eine gute I***?

13 Zeitungen und Zigaretten kriegst du da drüben am K****.

17 B***** hängen am Baum und in Lampen.

18 Der Direktor hielt eine feierliche R***.

19 Alkohol am S***** ist gefährlich.

21 Ein anderes Wort für ‚jetzt' ist ‚***'.

23 Möchtest du zum Nachtisch ein *** mit 3 Kugeln?

25 Wissen Sie, *** den Computer erfunden hat?

26 Berlin ist Hauptstadt und S*** der Regierung.

29 E****** sind Kräfte.

32 Cola gibt es nicht nur in Flaschen, sondern auch in B****.

34 Am Wochenende machen wir einen A****** aufs Land.

35 Ich rate dir: L*** das Rauchen!

36 Möchten Sie noch etwas oder ist das a****?

38 E*** mehr Obst und ihr bleibt gesund!

40 Das Buch habe ich nicht ganz, sondern nur zum T*** gelesen.

42 Das hat mir *** nicht gefallen. Wirklich überhaupt nicht!

43 Ich putze *** morgens und abends die Zähne.

46 Er war krank, ** dass er nicht kommen konnte.

LÖSUNGEN

TEST 1:
1. Er 2. Ab 3. Es 4. Bei 5. besichtigen 6. Bad 7. Wal
8. aufs 9. Decke 10. Bus 11. Alter 12. dafür
13. fließendes 14. Gegend 15. drüben 16. Führung
17. Eindruck 18. die 19. Boden 20. Apotheke

TEST 2:
1. WEINTRAUBEN 2. PFIRSICHE 3. ERDBEEREN 4. APRIKOSEN
5. ZITRONEN 6. PFLAUMEN 7. KIRSCHEN 8. ORANGEN 9. MELONEN
10. MANDELN 11. BANANEN 12. MANGOS 13. FEIGEN 14. BIRNEN
15. ANANAS 16. NÜSSE 17. KIWIS 18. ÄPFEL

TEST 3:
1. Land 2. Besteck 3. fahren 4. schwimmen 5. Tochter 6. Getränk
7. Bein 8. Autos 9. Shampoo 10. Gemüse 11. trinken 12. schwer
13. dunkel 14. sehen 15. Wasser 16. klein 17. hören 18. Flugzeug
19. kochen 20. deutsch

TEST 4:
1. der Abend - der Morgen
2. das Dorf - die Stadt
3. das Glück - das Pech
4. der Altbau - der Neubau
5. der Anfang - das Ende
6. der Berg - das Tal
7. der Cousin - die Cousine
8. der Eingang - der Ausgang
9. der Empfänger - der Absender
10. der Export - der Import
11. der Freund - der Feind
12. der Gast - der Gastgeber
13. der Gewinn - der Verlust
14. der Gott - der Teufel
15. der Herr - die Dame
16. der Himmel - die Hölle

17. der Misserfolg - der Erfolg
18. die Abfahrt - die Ankunft
19. die Armut - der Reichtum
20. die Belohnung - die Strafe
21. die Braut - der Bräutigam
22. die Gesundheit - die Krankheit
23. die Großmutter - der Großvater
24. die Hinfahrt - die Rückfahrt
25. die Schwester - der Bruder

LÖSUNGEN:

TEST 5:
1. Adler 2. Führerschein 3. Adresse 4. fröhlich 5. Äpfel 6. glücklich
7. Absender 8. Benelux 9. Flugzeug 10. Ast 11. Möbel 12. antworten
13. Milch 14. Bedienung 15. Apfelsinen 16. Brust 17. Wetter
18. Hausnummer 19. Baum 20. Balkon

TEST 6:

[1]G	A	[2]B		[3]B	L	[4]A	T	[5]T		[6]D	[7]A	M	[8]I	T
A		A		I		N		A			L		S	
[9]S	A	H	N	E		[10]G	E	G	E	[11]N	S	[12]A	T	Z
		N		T		E		E		Ä		R		
[13]G	E	S	T	E	C	K	T		[14]T	H	O	M	A	[15]S
T		T		L				[16]G		E		E		
[17]E	I	E	R		F	A	H	R	E	R		[19]B	E	I
I		I		[20]B		G	A		E		E		F	
[21]L	A	G	[22]L	E	T	Z	T	E			[23]I	D	E	E
I		I		E		U				[24]K		E		
[25]G	E	[26]G	E	N	D		[27]K	L	E	I	D	U	N	G
A		D		[28]G			I			R		T		
[29]G	[30]A	R	[31]D	E	R	O	B	E		[32]C	O	U	C	[33]H
	M		I		T			R		H		N		A
[34]S	T	A	R	T		[35]T	I	E	R	E		[36]G	U	T

TEST 7:
1. Wer 2. Wen 3. Wem 4. Wessen 5. Wo 6. Wohin 7. Woher
8. Wie viel 9. Wie 10. Was 11. Welchen 12. Wie 13. Wie 14. Wann
15. Warum 16. Woran 17. Womit 18. Wofür 19. Worauf 20. Was

TEST 8:

1. fleißig - faul
2. groß - klein
3. dick - dünn, schlank
4. langsam - schnell
5. hubsch - hasslich
6. nah - weit, fern
7. dunkel - hell
8. teuer - billig, preiswert
9. intelligent - dumm, blöd
10. weiß - schwarz
11. weich - hart
12. viel - wenig
13. lebendig - tot
14. spannend - langweilig
13. niedrig - hoch
16. nördlich - südlich
17. kurz - lang
18. krank - gesund
19. ledig - verheiratet
20. rechts - links

TEST 9:

1. GROSSBRITANNIEN 2. LIECHTENSTEIN 3. GRIECHENLAND
4. NIEDERLANDE 5. JUGOSLAWIEN 6. DEUTSCHLAND 7. TSCHECHIEN
8. ÖSTERREICH 9. FRANKREICH 10. SLOWENIEN 11. LUXEMBURG
12. BULGARIEN 13. SLOWAKEI 14. SCHWEDEN 15. RUSSLAND
16. RUMÄNIEN 17. PORTUGAL 18. NORWEGEN 19. KROATIEN
20. FINNLAND 21. DÄNEMARK 22. ALBANIEN 23. SPANIEN
24. SCHWEIZ 25. ITALIEN 26. BOSNIEN 27. BELGIEN 28. ZYPERN
29. UNGARN 30. TÜRKEI 31. ISLAND 32. IRLAND 33. POLEN

TEST 10:

1. repariert 2. kopiert 3. gemacht 4. gelernt 5. gepackt 6. gefüttert
7. gekocht 8. gebucht 9. gebügelt 10. gedeckt 11. geschält 12. tapeziert
13. bezahlt 14. besucht 15. bestellt 16. beantwortet 17. abgetrocknet
18. aufgeräumt 19. geweckt 20. eingekauft

TEST 11:

A. gelegt B. einen Topf C. abgeschleppt D. zudrehen
E. sauer F. schicken G. vor H. Deutscher
I. Margarine J. an K. nicht möglich

TEST 12:

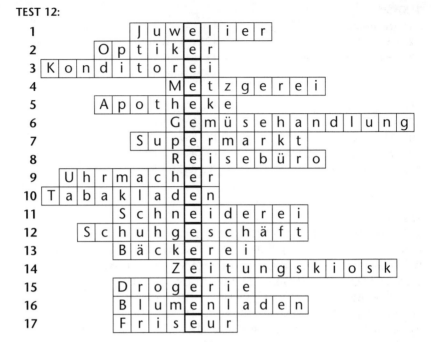

1			J	u	w	e	l	i	e	r				
2		O	p	t	i	k	e	r						
3	K	o	n	d	i	t	o	r	e	i				
4				M	e	t	z	g	e	r	e	i		
5		A	p	o	t	h	e	k	e					
6				G	e	m	ü	s	e	h	a	n	d	l	u	n	g
7		S	u	p	e	r	m	a	r	k	t				
8		R	e	i	s	e	b	ü	r	o					
9	U	h	r	m	a	c	h	e	r						
10	T	a	b	a	k	l	a	d	e	n					
11		S	c	h	n	e	i	d	e	r	e	i			
12		S	c	h	u	h	g	e	s	c	h	ä	f	t	
13		B	ä	c	k	e	r	e	i						
14			Z	e	i	t	u	n	g	s	k	i	o	s	k
15		D	r	o	g	e	r	i	e						
16		B	l	u	m	e	n	l	a	d	e	n			
17		F	r	i	s	e	u	r							

TEST 13:

1. Sind 2. Tanz 3. Seid 4. Meine 5. Kennst 6. Möchten
7. Mal 8. Stockwerke 9. Küche 10. Rolle 11. Raum
12. Kontrollen 13. Plätze 14. Not 15. Licht 16. Ordnung
17. Toiletten 18. schlief 19. mit 20. Sparguthaben

TEST 14:

¹A	L	²A	R	³M		⁴B	⁵O	⁶O	⁷T		⁸S	I	N	⁹D
L		N		Ö		¹⁰I	H	R	E		I			A
I		¹¹D	F	C	K	E		¹²T	E	¹³I	E	¹⁴F	O	N
¹⁵E	H	E		H		R			E		I			K
	¹⁶R	O	T	E			¹⁷D	¹⁸R	O	G	E	R	I	E
¹⁹S	²⁰E	E		E		²¹E		E		E	M			
²²E	I	N		²³S	T	R	E	I	T		²⁴G	A	²⁵N	²⁶G
²⁷I	N			T		H		T		²⁸M			²⁹E	I
³⁰D	E	³¹I	N		³²N	Ä	H	E	R	E		³³B	I	N
	H		³⁴A	L		N		H		³⁵E	N	G		
³⁶E	I	N	T	R	I	T	T		³⁷G	R	A	S		
R		E		Z			³⁸C	H		³⁹I	H	⁴⁰N		
⁴¹S	O	N	⁴²N	T	A	⁴³G		⁴⁵H	I	E	L	T		Ä
T		O		⁴⁶L	A	⁴⁷D	E		I		Z			H
⁴⁸E	R	S	T		⁴⁹T	R	A	F		⁵⁰T	I	E	R	E

TEST 15:
1. französisch 2. katholisch 3. Jahreszeit 4. Jugendliche 5. kämmen
6. Haut, Gesicht 7. Wüste 8. Rücken 9. komponieren 10. Tante 11. fest
12. Fisch 13. Blüte 14. Porzellan 15. Irland 16. Slowakei 17. Farbe
18. Zug 19. Finger 20. faul

TEST 16:
1. Herbst 2. Juli 3. sieben 4. Donnerstag 5. Sterne 6. Februar 7. vier
8. rückwärts 9. Mittwoch 10. drittens 11. vorgestern 12. nie 13. Süden
14. Zukunft 15. hinten 16. Australien

TEST 17:

Jemand hat einen Imbissstand direkt gegenüber einer Bank. Da kommt ein alter Freund und sagt: „Du, kannst du mir mal etwas Geld leihen?" - „Tut mir leid, mein Freund, das kann ich nicht!" - „Und warum nicht?" - „Weil ich einen Vertrag mit der Bank habe!" - „Und was ist das für ein Vertrag?" - „Ich verleihe kein Geld und die verkaufen keine Würstchen!"

TEST 18:

1. SCHWARZ 2. ORANGE 3. WEISS 4. BRAUN 5. ROSA 6. LILA
7. GRÜN 8. GRAU 9. GELB 10. BLAU 11. ROT

TEST 19:

1. gewaschen 2. genommen 3. geschrieben 4. geschnitten 5. gerufen
6. gebraten 7. gegossen 8. gelesen 9. gesungen 10. gewonnen
11. gestrichen 12. getan 13. gezogen 14. bestanden 15. abgetreten
16. aufgegessen 17. ausgetrunken 18. gesehen 19. abgeschlossen
20. zurückgegeben

TEST 20:

Nachdem ihn seine Frau verlassen hatte, weil er behauptete, alles im Haushalt besser zu können, musste ein junger Mann aus einer französischen Kleinstadt seinen Haushalt selbst führen. Er lernte bügeln, kochen, putzen und waschen. Eines Tages wollte er einen besonders problematischen Fleck aus seiner Wäsche entfernen. Er hatte von seiner Mutter gelernt, dass Benzin besondere Reinigungskraft hat. Deshalb schüttete er Benzin statt Waschpulver in die Waschmaschine und ging einkaufen. Als er zurückkam, fand er seine Wohnung nicht mehr. Ein Funke in der Maschine hatte eine Explosion verursacht, die die ganze Wohnung in Brand gesteckt hatte. Der Fleck war auch beseitigt.

TEST 21:

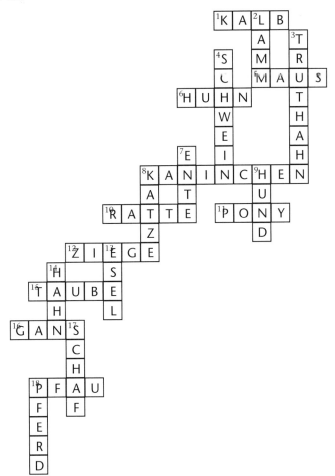

TEST 22:

1. Am **2.** Wie **3.** Sobald **4.** Reihe **5.** tut **6.** äußerte
7. Seiten **8.** Stück **9.** sah **10.** Start **11.** Schreibtisch **12.** ab
13. Bahn **14.** uns **15.** Bein **16.** Parkplatz **17.** Produkte
18. Arbeit **19.** Augen **20.** Telefon

F	A	M	I	L	I	E		L		G	Ä	S	T	E
R	E		Ö		I		O		E		A			
A	U	T	O	S		N	A	C	H	R	I	C	H	T
G	Z	U	Z			H		I		H		H	
E	I	G	E	N	T	U	M		S	C	H	E	R	E
		E		G		L		A		H				A
B	E	R	G		L	E	R	N	S	T		I	S	T
E	E		S		G		G		S		N			E
S	E	I		T	R	E	T	E	N		O	D	E	R
I				R		N		N		G		U		
T	Ü	R	K	E	I		G	E	S	E	S	S	E	N
Z		O		N		F		H		L		T		E
T	E	L	E	G	R	A	M	M		A	N	R	U	F
		L		E		C		E		N		I		F
K	L	E	I	N		H		R	E	G	N	E	T	E

TEST 24:

1. Pfennig **2.** Delphin **3.** Tinte **4.** bayrisch **5.** Saarland **6.** Herzog **7.** ADAC
8. Atlantik **9.** Pizza **10.** Kindergarten **11.** Himalaya **12.** Nil **13.** Zürich
14. Getreide **15.** Würfel **16.** Messer **17.** Kreis **18.** Grammatik **19.** Spiel
20. Feuerzeug

TEST 25:

1. die Hitze - die Kälte
2. die Hochzeit - die Scheidung
3. der Hunger - der Durst
4. die Jugend - das Alter
5. der Kauf - der Verkauf
6. der Krieg - der Frieden
7. der Lärm - die Ruhe
8. das Leben - der Tod
9. die Liebe - der Hass
10. die Lüge - die Wahrheit
11. der Mann - die Frau
12. der Mieter - der Vermieter
13. die Minderheit - die Mehrheit
14. der Neffe - die Nichte
15. der Norden - der Süden
16. der Nutzen - der Schaden
17. der Onkel - die Tante
18. die Rechtskurve - die Linkskurve
19. die Regel - die Ausnahme
20. der Schwager - die Schwägerin
21. die Sicherheit - die Gefahr
22. der Sohn - die Tochter
23. der Sommer - der Winter
24. der Tag - die Nacht
25. der Westen - der Osten

TEST 26:

1. Schlagsahne 2. Schokolade 3. Nachtisch 4. Schinken 5. Muscheln
6. Geflügel 7. Pudding 8. Pfeffer 9. Pastete 10. Zucker 11. Nudeln
12. Kuchen 13. Gemüse 14. Braten 15. Wurst 16. Torte 17. Suppe
18. Speck 19. Sauce 20. Fisch 21. Essig 22. Senf 23. Salz 24. Reis
25. Käse 26. Eis 27. Öl

TEST 27:

1. Tier 2. angeln 3. Tischtuch 4. Glas 5. heiß 6. Schale 7. Stall
8. Koran 9. Glatze 10. Tropfen 11. Nordpol 12. Schloss 13. Mund
14. Erdöl 15. Eis 16. Bank 17. vierundzwanzig 18. Ärmel 19. Fleisch
20. Nest

TEST 28:

1. Leid 2. Kann 3. Stimmt 4. Scheck 5. Restaurant 6. lege
7. Tagen 8. Pferden 9. Kurs 10. klingelt 11. Radio 12. Baum
13. Lärm 14. Mineralwasser 15. Museen 16. See 17. nein
18. sonst 19. ja 20. sie

TEST 29:

1. das Bauwerk - das Gebäude
2. der Gast - der Besucher
3. der Betrieb - die Firma
4. der Eigentümer - der Besitzer
5. die Debatte - die Diskussion
6. die Urkunde - das Dokument
7. die Erzählung - die Geschichte
8. der Fleischer - der Metzger
9. die Mahlzeit - das Essen
10. das Geschäft - der Laden
11. der Grund - die Ursache
12. der Sieger - der Gewinner
13. das Darlehen - der Kredit
14. die Semmel - das Brötchen
15. der Ober - der Kellner
16. der Witz - der Scherz
17. der Raum - das Zimmer
18. das Resultat - das Ergebnis
19. der Lkw - der Lastwagen
20. der Kunde - der Käufer

TEST 30:

1. Wand	Tapete	I. Berlin	Stadt
2. Hand	Finger	II. Wetter	Schnee
3. Schläger	Tennisball	III. Abend	Dunkelheit
4. Lampe	Birne	IV. Durst	Wasser
5. Banane	Schale	V. Flasche	Korken

a. Anzug	Krawatte	A. Baum	Ast
b. Computer	Maus	B. Fernsehen	Programm
c. Fußball	Tor	C. Brot	Scheibe
d. Buch	Seite	D. Bein	Fuß
e. Kaffee	Zucker	E. Grammatik	Regel

TEST 31:

1. Zu 2. Am 3. Der 4. Was 5. Eis 6. Vogel 7. Chancen
8. dir 9. Explosion 10. Tod 11. ab 12. arbeiten 13. Birne
14. Briefe 15. Augenblick 16. Bahnhof 17. Bekannten
18. erklärt 19. um 20. darauf

TEST 32:

1 B	2 E	3 I		4 S	P	5 A	S	6 S		7 R	O	8 L	L	9 E
10 I	H	N		O		C		O		E		I		R
11 R	E	G	A	I		12 H	A	L	B	I	N	S	E	L
N		E		D				L		S		T		E
13 E	I	N	F	A	H	14 R	T		15 G	E	G	E	N	D
		I		T		Ä		16 S		N				I
17 S	E	E	S		18 J	U	19 G	E	N	D		20 E	N	G
C		U		21 A		22 M	A	L		E		R		E
23 H	E	R		24 B	E	E	R	B	T		25 M	E	I	N
R				G		N		S		26 F		I		
27 E	R	28 S	T	E	N		29 S	T	R	E	N	G	E	30 N
I		U		H		31 F				H		N		O
32 E	X	P	L	O	S	I	O	33 N		34 L	I	E	35 S	T
N		P		L		L		O		E		36 T	E	E
37 D	R	E	H	T		38 M	E	T	E	R		39 E	I	N

TEST 33:

1. Reiten **2.** Zwillinge **3.** Franzose **4.** Salat **5.** Muscheln **6.** Knochen **7.** Sauce **8.** Auge **9.** Sonne **10.** Strauß **11.** Horoskop **12.** BMW **13.** Zunge **14.** Baustil **15.** Kommunismus **16.** Ferien **17.** Meter **18.** Nordpol **19.** Urteil **20.** Baum

TEST 34:

1. In **2.** Mal **3.** abgeholt **4.** Können **5.** Möchtest **6.** Gebäude **7.** finde **8.** mit **9.** Grad **10.** Leute **11.** Geschenk **12.** Katze **13.** Hemden **14.** Konferenz **15.** Idee **16.** Jahre **17.** Essig **18.** Frühstück **19.** Haltestelle **20.** Null

TEST 35:

1. Kinn	Bart	**I.** Baum	Holz
2. Kirche	Papst	**II.** Gesicht	Nase
3. Blitz	Donner	**III.** Frage	Antwort
4. Wein	Glas	**IV.** Richter	Urteil
5. Auto	Benzin	**V.** Ursache	Wirkung

a. Hemd	Kragen	**A.** Heizung	Wärme
b. Sport	Olympiade	**B.** Dom	Baustil
c. Himmel	Wolke	**C.** Geld	Portmonee
d. Musik	Noten	**D.** Wohnung	Miete
e. Kreuzung	Ampel	**E.** Parteien	Wahlen

TEST 36:

1. malen   2. Nase   3. Leder   4. Intelligenz   5. Kontinent   6. Pferd
7. traurig   8. weinen   9. Gebirge   10. Fluss   11. rund   12. süß   13. jung
14. kochen   15. spülen   16. Decke   17. gelb   18. Noten   19. beißen
20. Länge

TEST 37:

1. die Arme	**11.** die Hand
2. die Zähne	**12.** der Finger
3. das Gehirn	**13.** die Haut
4. die Lippen	**14.** die Haare
5. die Faust	**15.** der Bart
6. die Nase	**16.** der Hals
7. die Augen	**17.** die Lunge
8. die Ohren	**18.** die Muskeln
9. die Knochen	**19.** der Fuß
10. das Herz	**20.** die Beine

TEST 38:

1. BRÜS-SEL   2. SO-FI-A   3. KO-PEN-HA-GEN   4. PA-RIS   5. A-THEN
6. LON-DON   7. ROM   8. BEL-GRAD   9. ZA-GREB   10. OS-LO   11. WIEN
12. WAR-SCHAU   13. LIS-SA-BON   14. BU-KA-REST   15. MOS-KAU
16. STOCK-HOLM   17. BERN   18. MA-DRID   19. PRAG   20. BU-DA-PEST

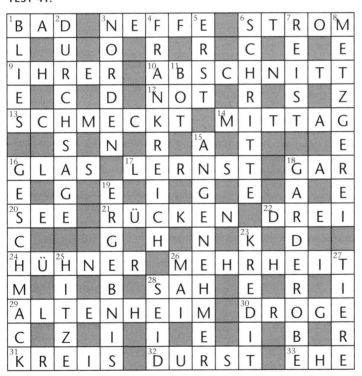

TEST 39:
1. Mineralwasser 2. Tomatensaft 3. Orangensaft 4. Weinbrand 5. Apfelsaft
6. Limonade 7. Whisky 8. Kaffee 9. Milch 10. Likör 11. Kakao 12. Wein
13. Bier 14. Tee 15. Rum

TEST 40:
1. Bis 2. beim 3. Hast 4. Darf 5. Gegen 6. Hoffentlich
7. Briefkasten 8. Ei 9. Eltern 10. ihnen 11. fahrende 12. des
13. Club 14. Grund 15. erst 16. fällen 17. gesessen 18. Euro
19. ins 20. Fisch

TEST 41:

TEST 42:
1. Kapitän   2. Tal   3. schmal   4. Arbeitgeber   5. Juwelier   6. Brücke
7. Bulgarien   8. Schokolade   9. Abend   10. Spanien   11. Dosenöffner
12. Erde   13. abnehmen   14. Angriff   15. Dank   16. Dollar   17. Wasser
18. Tee   19. Dach   20. Briefumschlag

TEST 43:
1. nein
2. nein (Komponist)
3. nein (der Mieter)
4. ja
5. nein (sie kriecht)
6. ja
7. ja
8. ja (die Mosel ist ein Fluss)
9. ja (man spricht sie im Spreewald)
10. ja
11. nein (der höchste französische)
12. ja
13. nein
14. ja
15. nein (in Paris)
16. ja
17. ja
18. nein (ein Gemüse)
19. nein
20. ja

TEST 44:
1. Restaurant   2. Lenker   3. Straße   4. Rumänien   5. Milch   6. Schale
7. Hörner   8. Grenze   9. Licht   10. tot   11. Pappe   12. Leiter   13. Temperatur
14. Patient   15. arbeiten   16. Briefkasten   17. sehen   18. Tag   19. hören
20. taub

TEST 45:
1. der Werktag   2. die Belohnung   3. die Ausgaben   4. die Scheidung
5. das Leben   6. der Gewinn   7. der Nachteil   8. die Tochter   9. der Vater
10. der Lehrer   11. der Patient   12. der Tag   13. das Ende   14. der Ausgang
15. der Sommer   16. der Morgen   17. die Ferne   18. der Krieg   19. das Kind
20. die Freude

TEST 46:
1. Zu   2. Am   3. Um   4. Ed   5. Was   6. Bist   7. aus   8. Brieftasche
9. Fall   10. Tickets   11. Filter   12. Band   13. Deutsch   14. ab
15. schmutzig   16. Dorf   17. darüber   18. Berg   19. Co.   20. Arm

TEST 47:

1. Urgroßmutter 2. Urgroßvater 3. Schwägerin 4. Zwillinge 5. Schwager
6. Tochter 7. Enkelin 8. Vetter 9. Nichte 10. Mutter 11. Kusine 12. Neffe
13. Enkel 14. Sohn 15. Opa 16. Oma

TEST 48:

¹S	A	²G	S	³T		⁴K		⁵B	R	⁶A	C	⁷H	T	⁸E
O		E	⁹H	O	L				U		Ö		H
¹⁰S	A	G	T	E		¹¹I	N	¹²D	U	S	T	R	I	E
S		E	M	N		E	L		S			
¹³E	I	N	G	A	N	G		¹⁴S	T	Ä	D	T	¹⁵E	N
	W			¹⁶E	R		N			I	
¹⁷K	L	A	N	¹⁸G		L		¹⁹B	A	D		²⁰I	N	²¹S
A		R	E		²²T	E	E		E	N		E
²³M	²⁴I	T		²⁵W	I	E		R		²⁶R	A	T	T	E
	H		Ü			²⁷D	U			E	
²⁸A	N	²⁹F	A	N	G	³⁰S		H	Ö	³²H	E	R	E	³³S
		A		S	A		I		O		E		E
³⁴F	O	R	S	C	H	U	N	G		³⁵L	Ä	S	S	T
I		B	H			³⁶E	I	S		S		Z
³⁷T	H	E	A	T	E	R		N		³⁸T	I	E	R	E

TEST 49:

1. Oh 2. Laut 3. Guten 4. Gehen 5. Nicht 6. Huhn 7. Kleid
8. Musik 9. Kaffee 10. Ländern 11. Plan 12. Kritik 13. hat
14. ihre 15. für 16. Hessen 17. Gesundheit 18. ist 19. Material
20. Mineralwasser

TEST 50:

1. Schuhe 2. Leine 3. Fisch 4. Garten 5. Sauce 6. Ostern 7. Keller
8. Melodie 9. aufwachen 10. ablehnen 11. Erlaubnis 12. Dichter
13. küssen 14. Ägypten 15. Bier 16. Streichholz 17. chemisch 18. spitz
19. Asien 20. laut

TEST 51:

1	2	3	4	5	6	7	8	9	10	11	12	13	14	15
N	I	M	M	T	■	S	K	I	F	A	H	R	E	R
A	E	■	A	L	T	■	H	■	L	E	■	■	■	A
T	A	T	E	N	■	U	H	R	■	T	R	I	T	T
U	■	Z	T	D	■	E	■	E	S	■	E	■	■	E
R	E	G	N	E	T	E	■	M	I	N	U	T	E	N
■	E	■	N	■	■	H	■	■	I	■	■	■	■	■
B	Ü	R	O	S	■	T	I	P	P	E	■	E	N	G
I	E	C	E	■	■	A	■	I	■	I	■	■	■	U
S	E	I	■	H	Ä	N	G	T	■	M	O	N	A	T
■	H	■	R	■	■	I	■	■	■	Z	■	■	■	■
B	E	S	T	E	C	K	■	E	N	T	L	A	N	G
O	P	I	L	N	■	A	■	N	■	A	■	H	■	E
M	E	I	N	E	■	A	R	T	■	S	O	L	C	H
B	E	N	N	■	■	E	■	N	■	E	I	S	E	E
E	R	L	E	D	I	G	E	N	■	E	I	N	E	N

TEST 52:

1. Am 2. Rom 3. Wer 4. Sein 5. Trotz 6. Bitte 7. weh 8. aus
9. Brille 10. Strümpfe 11. Schloss 12. Bericht 13. Banken
14. sprechen 15. Ratte 16. arm 17. ab 18. Sitzung 19. uns
20. Toilettenpapier

TEST 53:

1. OHRLÄPPCHEN 2. FINGERNAGEL 3. AUGENBRAUE 4. SCHULTER
5. KNOCHEN 6. GESICHT 7. RÜCKEN 8. NACKEN 9. FINGER 10. DAUMEN
11. ZUNGE 12. WANGE 13. LIPPE 14. BUSEN 15. BRUST 16. BAUCH
17. ZEHE 18. ZAHN 19. NASE 20. MUND 21. KOPF 22. KNIE 23. KINN
24. HAUT 25. HAND 26. HALS 27. HAAR 28. BEIN 29. BART 30. AUGE
31. OHR 32. LID 33. ARM 34. PO

TEST 54:

1. Blumen	Vase	I. Fahrrad	Klingel
2. Auto	Kofferraum	II. Theater	Bühne
3. Bahn	Fahrkarte	III. Kneipe	Bier
4. Kaffee	Zucker	IV. Zirkus	Clown
5. Topf	Deckel	V. Tasche	Leder

a) Suppe	Löffel	A) Zoo	Tiere
b) Fieber	Thermometer	B) Finanzamt	Steuern
c) Treppe	Geländer	C) Himmel	Stern
d) Wurst	Messer	D) Disko	Musik
e) Schnee	Skilift	E) Gepäck	Koffer

TEST 55:

1. Im 2. zu 3. Es 4. erziehen 5. Gib 6. Hier 7. Geld 8. Kannst
9. hätten 10. Fehler 11. vor 12. habe 13. Koffer 14. Drehte
15. Fortschritt 16. Jacke 17. das 18. Haus 19. dich 20. Creme

TEST 56:

1. Benzin 2. backen 3. Berg 4. hart 5. bleiben 6. Mond 7. Auto
8. Feuerwehr 9. Gabel 10. Papier 11. Computer 12. Griechenland
13. Streichholz 14. Polen 15. Frankreich 16. Brasilien (Portugiesisch)
17. Dezember 18. Friedhof 19. Topf 20. sympathisch

TEST 57:

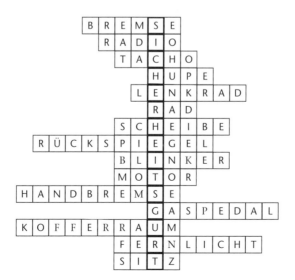

TEST 58:
1. Um 2. Soll 3. Meine 4. Stell 5. Wochenende 6. Paket 7. tippe
8. setze 9. Mühe 10. mit 11. Zoo 12. sah 13. Schritt 14. Tafel 15. Mai
16. reichen 17. Preisschild 18. Käse 19. war 20. nun

TEST 59:
1. sauer 2. Obst 3. Sonnenuntergang 4. Tag 5. Seiten 6. Christentum
7. bügeln 8. Universität 9. Krieg 10. Bücher 11. leise 12. Österreich
13. Hund 14. Woche 15. Bruder 16. Kette 17. rot 18. Zahnarzt
19. Süden 20. China

TEST 60:
1. unsympathisch 2. Teebeutel 3. Tor 4. Enkel 5. Bettdecke 6. Eile
7. gähnen 8. Kinder 9. Papier 10. Schal 11. Teppich 12. Himmel
13. Gesicht 14. Hut 15. Brieftasche 16. Ziege 17. Flöte 18. Opernball
19. Zahnarzt 20. Geschäft

TEST 61:

1. nein	11. ja
2. nein	12. ja
3. ja	13. ja
4. nein	14. ja
5. ja	15. ja
6. ja	16. nein
7. ja	17. nein
8. ja	18. ja
9. nein	19. nein
10. ja	20. ja

TEST 62:

1 A	L	2 A	R	3 M		4 A	N	5 G	E	6 B	O	7 T	E	8 N
L		B		E		R		U		E		I		O
9 L	Ä	S	S	T		10 T	Ä	T	I	G	K	E	I	T
E		C		E				E		L		R		E
11 S	C	H	I	R	M	12 E		13 S	T	E	U	E	R	N
		N				I				I				
14 K	L	I	M	15 A		16 N	I	17 C	H	T		18 A	C	19 H
A		T		U		E		R		E		B		O
20 M	I	T		21 F	I	N	D	E		22 T	I	T	E	L
				R				M				E		
23 M	O	24 R	G	E	N	25 S		26 E	N	27 D	L	I	C	28 H
I		O		G		O				A		L		E
29 E	R	L	A	U	B	N	I	30 S		31 T	E	U	E	R
T		L		N		N		I		U		N		R
32 E	R	E	I	G	N	E	T	E		33 M	A	G	E	N

TEST 63:

Kinderreichtum
Die Mutter, die die meisten Kinder in Deutschland hatte, lebte wohl vor etwa 500 Jahren. Auf dem Grabstein dieser Frau steht, dass sie 38 Jungen und 15 Mädchen, also 53 Babys zur Welt brachte. Im Vergleich zu einer russischen Bäuerin ist das vielleicht nicht sehr viel, denn sie soll insgesamt 69 Kinder gehabt haben. Allerdings kamen fast alle ihre Kinder als Vierlinge, Drillinge oder Zwillinge auf die Welt. Man weiß nicht, wie viele von ihnen überlebten.

TEST 64:

1. Qualität **2.** Scheck **3.** Linie **4.** heiß **5.** Moment **6.** Mann **7.** keinen **8.** Reparatur **9.** Kellner **10.** Patient **11.** hing **12.** Ober **13.** halb **14.** Künstlerin **15.** Jahren **16.** Messe **17.** Nacht **18.** in **19.** sehen **20.** Konzert

TEST 65:
1. die RASIERKLINGE   2. der WASCHLAPPEN   3. das TASCHENTUCH
4. der LIPPENSTIFT   5. die ZAHNBÜRSTE   6. das MUNDWASSER
7. die ZAHNPASTA   8. die PINZETTE   9. das PFLASTER   10. das HANDTUCH
11. der SPIEGEL   12. das SHAMPOO   13. der SCHWAMM   14. die SCHERE
15. das PARFÜM   16. die BÜRSTE   17. die WATTE   18. die SEIFE   19. der PUDER
20. die CREME   21. der KAMM

TEST 66:
1. Häuser   2. Strom   3. Rock   4. Verlust   5. dividieren   6. Gummi   7. Hass
8. Teufel   9. Schwäche   10. gefährlich   11. Wahrheit   12. viele   13. Nachteil
14. Nebensache   15. Osten   16. singen   17. atmen   18. Badehose   19. Ungarn
20. Stewardess

TEST 67:
1. Du   2. Wer   3. Arme   4. Sind   5. Tor   6. Trinken   7. Bruder
8. Stadt   9. am   10. Spiel   11. Berufung   12. bat   13. Ausdruck
14. Rauchen   15. Straße   16. Tat   17. ab   18. wiederholt   19. da
20. Unfalls

TEST 68:
1. Auf der Straße arbeiten zwei Männer.
2. Einer von beiden schaufelt ein Loch.
3. Aber der zweite schaufelt es sofort wieder zu.
4. Das wiederholt sich immer wieder.
5. Da kommt ein Spaziergänger und sieht die beiden.
6. Er fragt die beiden, warum sie das so machen.
7. Da antworten ihm die Männer:
8. „Wir sind normalerweise zu dritt."
9. „Und was macht der Dritte?" will der Spaziergänger wissen.
10. „Der steckt die Laternen in die Löcher, aber heute ist er krank."

TEST 69:

Deutschland liegt <u>mitten</u> in Europa und grenzt <u>an</u> neun europäische <u>Staaten</u>. Diese sind Dänemark, Polen, Tschechien, <u>Österreich</u>, die Schweiz, Frankreich, Luxemburg, Belgien und die <u>Niederlande</u>. Von <u>Norden</u> nach Süden beträgt die Entfernung 875 Kilometer. In Deutschland leben <u>ungefähr</u> 80 Millionen Einwohner. Vor dem Zweiten <u>Weltkrieg</u> war Deutschland um ein Drittel größer <u>als</u> heute. Von 1949 bis 1990 existierten <u>zwei</u> deutsche Staaten: die <u>Bundesrepublik</u> Deutschland im Westen und die <u>Deutsche</u> Demokratische Republik im <u>Osten</u>. Im Jahr 1989 haben die <u>Bürger</u> der DDR in einer friedlichen Revolution die <u>Vereinigung</u> der beiden deutschen Staaten <u>erkämpft</u>. So wurde Deutschland 45 Jahre nach dem <u>Ende</u> des Zweiten Weltkriegs endlich wiedervereinigt. Im <u>heutigen</u> Deutschland gibt es 16 <u>Bundesländer</u>. Die Hauptstadt und gleichzeitig die <u>größte</u> Stadt Deutschlands ist <u>Berlin</u> mit über 4 Millionen Einwohnern. Zu den Millionenstädten <u>zählen</u> aber auch Hamburg und <u>München</u>. Deutschland <u>exportiert</u> viele Produkte. Bekannt ist Deutschland <u>vor</u> allem durch Maschinen, Autos, <u>Chemikalien</u>, Produkte <u>für</u> die Umwelt und Elektrogeräte.

TEST 70:

1. Ihnen **2.** einen **3.** Kino **4.** Lust **5.** lasse **6.** gern **7.** Job **8.** was
9. er **10.** Fest **11.** ins **12.** Maschine **13.** Hochzeit **14.** geblieben
15. Gramm **16.** Essen **17.** Freund **18.** Hand **19.** Krankheit **20.** Milch

TEST 71:

1. BEL-GI-EN **2.** BUL-GA-RI-EN **3.** DÄ-NE-MARK **4.** FRANK-REICH
5. GRIE-CHEN-LAND **6.** GROSS-BRI-TAN-NI-EN **7.** I-TA-LI-EN
8. JU-GOS-LA-WI-EN **9.** KRO-A-TI-EN **10.** NOR-WE-GEN **11.** Ö-STER-REICH
12. PO-LEN **13.** POR-TU-GAL **14.** RU-MÄ-NI-EN **15.** RUSS-LAND
16. SCHWE-DEN **17.** SCHWEIZ **18.** SPA-NI-EN **19.** TSCHE-CHI-EN
20. UN-GARN

TEST 72:

1. BÜSTENHALTER **2.** STRUMPFHOSE **3.** SCHLAFANZUG **4.** HOSENTRÄGER
5. UNTERHEMD **6.** HANDSCHUH **7.** PULLOVER **8.** KRAWATTE **9.** KOPFTUCH
10. STIEFEL **11.** SCHÜRZE **12.** SANDALE **13.** JACKETT **14.** SOCKEN
15. MANTEL **16.** KOSTÜM **17.** GÜRTEL **18.** WESTE **19.** SCHUH **20.** SCHAL
21. MÜTZE **22.** KLEID **23.** JACKE **24.** BLUSE **25.** ANZUG **26.** SLIP
27. ROCK **28.** HOSE **29.** HEMD **30.** HUT

TEST 73:

1. Seit 2. Verspätung 3. Ausfahrt 4. Richter 5. Arme 6. Theater
7. statt 8. Uhr 9. Ampel 10. Schneiderei 11. Suppe 12. Ruhe
13. Plätze 14. Musik 15. ohne 16. Recht 17. Bau 18. war 19. ab
20. so

TEST 74:

1. oben 2. Chef 3. musizieren 4. Tabak 5. brüllen 6. französisch
7. portugiesisch 8. Hauptstadt 9. Pflanze 10. Lob 11. Sieg 12. ökonomisch
13. Taschengeld 14. Besucher 15. Teilnehmer 16. Sitze 17. Fahrplan
18. Fluss 19. Führerschein 20. Bürgersteig/Gehweg

TEST 75:

1. dick, dicker, am dicksten
2. arm, ärmer, am ärmsten
3. reich, reicher, am reichsten
4. hoch, höher, am höchsten
5. alt, älter, am ältesten
6. gut, besser, am besten
7. nah, näher, am nächsten
8. dunkel, dunkler, am dunkelsten
9. teuer, teurer, am teuersten
10. viel, mehr, am meisten
11. viele, mehr, die meisten
12. gern, lieber, am liebsten

TEST 76:

Wie in Deutschland und dem größten Teil der Schweiz wird auch in Österreich
Deutsch gesprochen. Das Land grenzt außerdem an die Länder Tschechien,
Slowakei, Ungarn, Slowenien und Italien. Österreich besteht aus neun Bundes-
ländern: Oberösterreich, Niederösterreich, Steiermark, Tirol, Kärnten, Salzburg,
Vorarlberg und Wien. Die Fläche des Landes ist nur etwa ein Viertel so groß wie
die der Bundesrepublik Deutschland. Österreich hat über 7 Millionen Einwohner.
Wien ist die Hauptstadt. Früher herrschten hier die Kaiser und Könige der Habs-
burger über Europa. Zu den berühmten Städten gehören auch Salzburg, wo Mo-
zart geboren wurde, und Innsbruck am Inn. Österreich ist ein beliebtes Reiseziel
für Touristen aus aller Welt, besonders aber für Deutsche. Der Fremdenverkehr ist
die wichtigste Einnahmequelle für das Land. Im Sommer kann man in den Alpen
wandern, im Winter Ski fahren. Das Land hat 800 Berge, die über 3000 Meter
hoch sind. Der höchste Berg ist der Großglockner; er ist fast 3800 Meter hoch.

TEST 77:
1. der Elefant   2. der Fernseher   3. die Rose   4. das Mineralwasser
5. der Schrank   6. der Computer   7. die Antenne   8. die Tapete   9. die Schere
10. das Flugzeug   11. das Reserverad   12. die Telefonzelle   13. der Pullover
14. das Reisebüro   15. das Krankenhaus   16. das Pferd   17. die Schlange
18. der Kugelschreiber   19. die Brille   20. Schach

TEST 78:

1. ja	11. ja
2. nein (Elbe)	12. nein
3. ja	13. nein (1939)
4. nein (8 Beine)	14. nein
5. ja	15. ja
6. ja	16. nein (Schweiz)
7. nein (im Süden)	17. ja
8. nein (Bern)	18. nein
9. nein	19. nein
10. ja	20. ja

TEST 79:
1. Brillen   2. Möbel   3. Friseur   4. Luft   5. liegen   6. Handschuh   7. Wand
8. Glas   9. Unterhemd   10. Gas   11. hart   12. Haustier   13. wohnen
14. Zwerg   15. Griechenland   16. Pferd   17. hoch   18. rechnen   19. riechen
20. Monat

TEST 80:
1. Wo kein Kläger ist, da ist auch kein Richter.
2. Einem geschenkten Gaul schaut man nicht ins Maul.
3. Besser den Spatz in der Hand als die Taube auf dem Dach.
4. Vögel, die am Morgen singen, fängt am Abend die Katze.
5. Der Krug geht so lange zum Brunnen, bis er bricht.
6. Am Abend wird der Faule fleißig.
7. Wer nicht wagt, der nicht gewinnt.
8. Was ich nicht weiß, macht mich nicht heiß.
9. Wenn zwei sich streiten, freut sich der Dritte.
10. Lügen haben kurze Beine.
11. Wer den Schaden hat, braucht für den Spott nicht zu sorgen.
12. Alte Liebe rostet nicht.
13. Man soll den Tag nicht vor dem Abend loben.
14. Wenn die Katze weg ist, tanzen die Mäuse auf dem Tisch.

15. Morgenstund' hat Gold im Mund.
16. Spare in der Zeit, dann hast du in der Not.
17. Wer zu spät kommt, den bestraft das Leben.
18. Die dümmsten Bauern ernten die dicksten Kartoffeln.
19. Kommt Zeit, kommt Rat.
20. Was Hänschen nicht lernt, lernt Hans nimmermehr.

TEST 81:
1. Scheidung 2. vorgestern 3. modern, modisch 4. Regen 5. Kopf
6. verbieten 7. Zimmer 8. oft 9. Ausnahme 10. Belohnung
11. Rennwagen 12. Schwarm 13. Spaß 14. schriftlich 15. Abfahrt
16. kriechen 17. Gefühl 18. spannend 19. gewinnen, finden 20. Lied

TEST 82:
1. Wen 2. Dieser 3. Fühlen 4. Einzelheiten 5. Blitz 6. dem
7. Bauer 8. Gedeck 9. Ecke 10. Buch 11. dafür 12. zur
13. Firmen 14. fließt 15. Ausgang 16. ab 17. eingebildet
18. erhält 19. Fachleuten 20. Art

TEST 83:
1. schön 2. Wirkung 3. Geschäft 4. Stein 5. duften 6. Volk 7. Wein
8. aussteigen 9. Nähe 10. Zahnbürste 11. explodieren 12. verheiratet
13. Küche 14. täglich 15. Bauernhof 16. Faden 17. Bürgermeister
18. stehlen 19. Pfanne 20. Kunst

TEST 84:
1. Musikinstrument 2. salzig 3. Klingel 4. Dänemark 5. Schraube
6. Kalb 7. Bühne 8. Schläger 9. Mülleimer 10. Toilettenpapier
11. Postleitzahl 12. anhalten 13. Abteil 14. Wüste 15. Malerei
16. schneiden 17. lösen 18. Heizung 19. Knopf 20. arm

TEST 85:
1. HOSE > 2. ROSE > 3. ROST > 4. RAST > 5. GAST > 6. FAST >
7. FEST > 8. TEST > 9. NEST > 10. NETT > 11. NETZ > 12. SETZ >
13. SITZ > 14. SATZ

TEST 86:
1. SCHNITTLAUCH   2. ARTISCHOCKEN   3. RADIESCHEN   4. PETERSILIE
5. KARTOFFELN   6. BLUMENKOHL   7. AUBERGINEN   8. ZUCCHINIS
9. KNOBLAUCH   10. ZWIEBELN   11. KOHLRABI   12. KAROTTEN
13. BROCCOLI   14. TOMATEN   15. SPARGEL   16. PAPRIKA   17. GEWÜRZE
18. SPINAT   19. OLIVEN   20. GURKEN   21. ERBSEN   22. BOHNEN   23. SALAT
24. PILZE   25. LAUCH   26. KOHL

TEST 87:
1. Antwort   2. Rahmen   3. Begrüßung   4. Misserfolg   5. ausruhen
6. Zinsen   7. Prinzessin   8. vertraut   9. allein   10. Zukunft   11. euer
12. leise   13. Freiheit   14. Schiedsrichter   15. Abendessen   16. Uniform
17. Schuld   18. Papst   19. Knochen   20. sinken

TEST 88:
1. vor   2. um   3. Dieses   4. Besuch   5. Insel   6. gelacht   7. Damen
8. verbessert   9. Ampeln   10. Baum   11. Bus   12. Teppich   13. fern
14. Städte   15. Skifahrer   16. Auskunft   17. Türkei   18. gilt   19. Bluse
20. wog

TEST 89:
1. Dirigent   2. arbeitslos   3. Feuerwehr   4. Republik   5. Blut   6. Mangel
7. lernen   8. Lohn   9. Spätschicht   10. Urlaub   11. Deckel   12. billig
13. Telefonnummer   14. Kugel   15. Rakete   16. Aquarium   17. langsam
18. Bettler   19. Schreibtisch   20. Regal

TEST 90:
1. In   2. absolut   3. Kiel   4. für   5. Loch   6. Lampe   7. unterschreiben
8. gehängt   9. gewünscht   10. erst   11. Miete   12. hin   13. marke
14. Kosten   15. Fahrrad   16. Bier   17. Eis   18. Museum   19. Hause
20. Jahreszeit

TEST 91:

¹F	L	²I	E	³S	S	⁴E	N	⁵D		⁶G	R	⁷A	M	⁸M
A		S		C		I		R		E		S		A
⁹R	A	S	C	H		¹⁰G	L	E	I	S		¹¹I	N	S
B			U		E		I		T		E		C
¹²E	X	¹³I	S	T	E	N	Z		¹⁴B	E	I	N	A	H
		H		Z		T		¹⁵Ö		L				I
¹⁶K	U	R	S		¹⁷K	Ü	N	S	T	L	E	¹⁸R	I	N
L		E		¹⁹P		M		T		T		Ä		E
²⁰E	I	N	Z	U	L	E	G	E	N		²¹H	U	H	N
I				B		R		R		²²N		M		
²³N	U	²⁴D	E	L	N		²⁵F	R	E	I	H	E	I	²⁶T
G		R		I		²⁷T		E		C				R
²⁸E	H	E		²⁹K	R	I	M	I		³⁰H	Ä	³¹T	T	E
L		H		U		P		C		T		E		N
³²D	A	T	U	M		³³S	C	H	R	E	I	E	N	D

TEST 92:

1. Otto will seine Zukunft erfahren und geht deshalb zu einer Wahrsagerin.
2. Sie schaut lange in eine Kugel und sagt dann zu Otto:
3. „Sie werden reich sein, wenn Sie genau das tun, was ich sage."
4. „Warten Sie, bis wir eine klare Vollmondnacht haben."
5. „Gehen Sie dann um Mitternacht auf den alten Friedhof."
6. „Nehmen Sie einen Spaten mit und graben Sie nach einem Schatz."
7. „Der liegt ein paar Meter unter der Erde."
8. „Wenn Sie beim Graben aber an Nudelsuppe denken, finden Sie ihn nicht."
9. Otto freut sich auf den Schatz und kauft sich einen Spaten.
10. In der ersten Vollmondnacht fängt er zu graben an.
11. Plötzlich wirft er den Spaten weg und flucht:
12. „Verdammt! In meinem ganzen Leben habe ich nie an Nudelsuppe gedacht."
13. „Und jetzt geht mir die Nudelsuppe nicht mehr aus dem Kopf!"

TEST 93:
1. Ein Cowboy betritt mit seinem Freund eine Kneipe.
2. Er will mit ihm ein paar Gläser Whisky trinken.
3. Aber an der Bar stehen schon zwölf Männer.
4. Der Cowboy zeigt auf einen und fragt: „Siehst du den da drüben?"
5. „Ich weiß nicht, welchen du meinst" antwortet sein Freund.
6. Da zieht der Cowboy seinen Revolver und schießt auf die Männer.
7. Elf davon fallen sofort um.
8. Dann zeigt er auf den, der übrig geblieben ist.
9. Er sagt: „Den da hab' ich gemeint."
10. „Und was ist mit dem?" will sein Freund wissen.
11. „Den kann ich auf den Tod nicht leiden."

TEST 94:
1. Setzen   2. ab   3. Regal   4. tot   5. Sache   6. Tage   7. Onkels
8. Schreibtisch   9. Amt   10. Beamte   11. Sommer   12. Artikel
13. und   14. Polizei   15. nieder   16. Ausland   17. gesehen
18. zur   19. Stellung   20. weh

TEST 95:
Die Schweiz ist eines der kleinsten europäischen Länder. Das Land in den Alpen ist nur halb so groß wie Österreich. Es ist in 23 Kantone unterteilt. Seine Hauptstadt ist Bern, aber die größte Stadt ist Zürich. Man spricht in der Schweiz vier Sprachen. Die meisten Einwohner sprechen Deutsch als Muttersprache (69%). An zweiter Stelle folgt Französisch (18%), danach Italienisch (12%). Romanisch wird nur von einem Prozent gesprochen. Unter den 6,5 Millionen Einwohnern gibt es über eine Million Ausländer. International bekannt ist die Schweiz durch die Herstellung von Käse, Uhren und Schokolade. Aber vor allem Arzneimittel, chemische Produkte und Maschinen werden exportiert. Wenn Sie gern auf Berge steigen, sollten Sie Ihren Urlaub in der Schweiz verbringen. Sieben Gipfel haben eine Höhe von über 4000 Metern. Natürlich laden auch die vielen Seen zum Wassersport ein. Die größten sind der Bodensee im Nordosten und der Genfer See im Südwesten des Landes.

TEST 96:
1. er hat einen Vogel - er ist verrückt
2. er hat sich verknallt - er ist verliebt
3. er wirft alles in einen Topf - er macht keine Unterschiede
4. er malt den Teufel an die Wand - er sagt, es passiert Schlimmes
5. er macht sich auf die Socken - er geht los
6. er spielt ihm einen Streich - er macht sich einen Spaß mit ihm
7. er lässt sie im Stich - er lässt sie mit einem Problem allein
8. er macht sich aus dem Staub - er läuft davon
9. er hilft ihr auf die Sprünge - er zeigt ihr, wie man das macht
10. er dreht den Spieß herum - er vertauscht die Rollen

TEST 97:
1. schwanger 2. Aschenbecher 3. blutet 4. dir 5. helfen
6. Zucker 7. Inhalt 8. gar 9. Kirche 10. fandest 11. Halbjahr
12. Dank 13. Hit 14. Ende 15. Glas 16. Job 17. Formulare
18. Busfahrer 19. Geldes 20. denn

TEST 98:
1. er ist im siebten Himmel - er ist überglücklich
2. er ist ein Schürzenjäger - er läuft jeder Frau hinterher
3. er schmiert ihr eine - er gibt ihr eine Ohrfeige
4. er ist eine Schlafmütze - er ist verträumt und langweilig
5. er ist sauer - er ist böse oder hat schlechte Laune
6. er sitzt in der Patsche - er ist in einer schlechten Situation
7. er ist mit seinem Latein am Ende - er weiß nicht mehr weiter
8. er steht bei ihm in der Kreide - er hat Schulden bei ihm
9. er legt das auf die hohe Kante - er spart das Geld
10. er bindet ihr einen Bären auf - er belügt sie

TEST 99:

1. abfahren - ankommen
2. anfangen - aufhören
3. angreifen - verteidigen
4. aufbauen - zerstören
5. befehlen - gehorchen
6. belohnen - bestrafen
7. bitten - danken
8. bringen - holen
9. einschalten - ausschalten
10. einschlafen - aufwachen
11. einsteigen - aussteigen
12. fragen - antworten
13. gewinnen - verlieren
14. halbieren - verdoppeln
15. kaufen - verkaufen
16. kommen - gehen
17. leben - sterben
18. lieben - hassen
19. loslassen - festhalten
20. mieten - vermieten
21. öffnen - schließen
22. senden - empfangen
23. suchen - finden
24. verbieten - erlauben
25. vertrauen - misstrauen

TEST 100:

1	2	3	4	5	6	7	8	9	10	11	12	13	14	15
¹S	T	²A	³N	D		⁴R	⁵E	⁶I	S		⁷B	A	N	⁸K
I		U		A	⁹A	S	S		I					U
C		¹⁰F	Ü	H	R	T		¹¹T	R	¹²I	N	¹³K	E	N
¹⁴H	A	T		I		E			D		I			S
		¹⁵R	I	N	G		¹⁶A	¹⁷B	G	E	H	O	L	T
¹⁸R		A		T		¹⁹S		I		E		S		
²⁰E	²¹N	G		²²E	L	T	²³E	R	N		²⁴L	K	²⁵W	²⁶S
²⁷D	U			²⁸N		E	I	N		²⁹E		³⁰E	I	
³¹E	N	³²D	E		³³M	U	S	E	E	N		³⁴A	R	T
		O		³⁵L	E	N		E		U		Z		
³⁶A	U	S	F	A	H	R	T		³⁷G	R	A	S		
L		E	S			³⁸E		G		³⁹F	I	⁴⁰T		
⁴¹L	A	⁴²N	G	S	A	M	⁴³S	P	I	E	L	⁴⁴E		
E		A		⁴⁵I	⁴⁶S	S		E	U	I				
⁴⁷S	T	A	R		⁴⁸B	R	O	T		⁴⁹N	A	G	E	L

147